家有妙招2000例

汉竹　编著

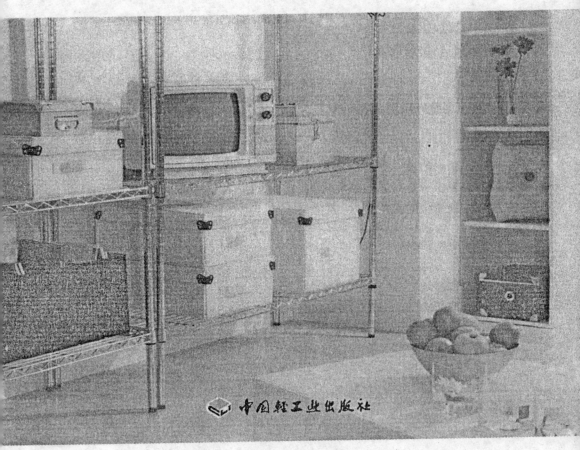

中国轻工业出版社

二0二一年一月十五日阅

图书在版编目(CIP)数据

家有妙招2000例/汉竹编著.—北京:中国轻工业
出版社,2010.2
(汉竹·健康爱家系列)
ISBN 978 - 7 - 5019 - 7457 - 3

Ⅰ.①家… Ⅱ.①汉… Ⅲ.①家庭 - 生活 - 知识
Ⅳ.①TS976.3

中国版本图书馆 CIP 数据核字(2009)第 233131 号

汉竹图书
www.homho.com
全案策划

责任编辑:张　弘
策划编辑:龙志丹　　　　　　责任终审:劳国强　　　　封面设计:辛　琳
版式设计:顾　燕　张春艳　　责任监印:胡　兵

出版发行:北京东长安街 6 号,邮编:100740
印　　刷:北京地大彩印厂
经　　销:各地新华书店
版　　次:2010 年 3 月第 1 版　第 1 次印刷
开　　本:710×1000　1/16　印张:17
字　　数:250 千字
书　　号:ISBN 978 - 7 - 5019 - 7457 - 3　　定价:19.90 元
邮购电话:010 - 65241695　传真:85128352
发行电话:010 - 85119835 85119793　传真:85113293
网　　址:http://www.chlip.com.cn
E - mail:club@chlip.com.cn
如发现图书残缺请直接与我社读者服务部联系调换
90956S1X101ZBW

目 录

节能省钱

精明采购

家电

根据条件选购家用电脑

选购家用电脑时，首先要明确自己所购电脑的用途，并结合自己的经济状况，选择购买。

购买家用电脑主要有两种选择，即选购品牌机，或自己决定电脑配置选择相应档次的系统及部件来组装电脑，也就是常说的"攒机"。

品牌机性能较稳定，并有良好的售后保障，但通常价格较高，且配置选择余地较小。"攒机"可根据自己的实际需要选择配置，但有时稳定性较差，也缺少相应的售后服务，价格相对品牌机便宜。

根据使用目的的选购家用电脑

目前,电脑在家庭中的主要作用是用于教育子女,其次是办公和多媒体娱乐。消费者应根据自己的使用目的和经济实力,选购适合自己的电脑配置和档次,确保买了能用、管用。

选购家用电脑应查验产品许可证及配件

看是否取得国家生产许可证,并查看显示器和主机的生产编号。同时,不要忘记索取中文说明书、保修单、发票和随机必备的配件。这样,才能保证电脑的产品质量以及售后服务,安全使用。

选购家用电脑应看跟踪服务

在选购家用电脑时,要看供应商有无后续的优惠购件服务,是否对用户的电脑有存档、维修记录统计等技术跟踪,和免费无折旧升级(可原价收回电脑),是否每月引进大批适合用户使用的软件并优惠复制等。

按住房构造选择空调

房间的面积越大,层距越高,则要求空调的制冷功率越大。也就是房间的净空间越大,空调的制冷功率要越大,反之,则小。如果房间是单层,或者是用铁皮、玻璃、玻璃纤维等搭建的,隔热不好,或者朝西北,或者是顶楼,太阳照射的时间较长,门窗较多,则空调的制冷功率要大,反之,则小。

根据实际需求选择空调

客厅或饭厅,如果人流大、常常高朋满座、四季火锅,那么空调的制冷功率要大。可以选用分体式、天花式、吊顶式、柜式空调。柜式机比较占地方,天花式价钱较贵。相对来说,卧室要求空调的制冷功率没有那么大,可以选择制冷功率小一些的。

看能效比选节能空调

空调能效比是指空调制冷（热）量与输入功率的比值。若两台空调的耗电量相同，则能效比高的空调能产生更多的冷（热）量。制冷（热）量除以输入功率可以算出能效比。采用直流变频技术的空调节能效果最为明显，最高可达48%。有立体送风功能的空调可以上、下、左、右自动摇摆送风，使室内温度更均匀，也比普通空调要省电两成以上。

购买一拖二空调巧分真假

"真"一拖二空调有两个独立电源、两个压缩机，它的两个室内机和压缩机可以单独运行，互不干扰，制冷效果好，冷量分配均匀，但价位较高。"假"一拖二空调是单一的电源，单一的压缩机，两个室内机不能单独启动和停止，冷量的分配由冷量分配器将冷量分配到两个室内机，制冷过程中容易产生冷量分配不均匀现象，使用、维修不方便，但价位相对较低。

选购进口空调注意外包装

进口空调外包装纸质好，塑料包装带薄而结实。包装所用木材周正光滑，铁钉深入木内。印刷字体美观清晰，如是日本制造，必定在外包装上注明：日本国制（MADE IN IAPAN）。近年来，我国有关部门要求进口商品必须在明显部位标明产地国。而假冒伪劣产品外包装的纸质粗糙，包装带厚而易断，印刷字体模糊不清。

电子节能灯巧选购

电子节能灯除了节能效果好之外，还具有亮度高和经久耐用的优点，但其价格也相对较高。在选购时应注意以下几点：

◆选择专业生产商

应选购专业厂家生产的产品,不要购买产地、厂名不详的杂牌货。因为节能灯的质量有特定的技术指标,如功率、波峰系数、异常状态开路试验、寿命和光通量等,都有严格的质量标准和检验手段。这些质量指标只有在专业生产厂家才能保证合格,杂牌货则不能保证。

◆选择电子镇流器的节能灯

因为电子镇流器的节能灯比采用电感镇流器的节能灯轻便,且发光效率高。

◆考虑照度

一支 13 瓦的电子节能灯,相当于 60 瓦的白炽灯。因此,对于 10 平方米的房间,选用 10～13 瓦的节能灯即可满足一般照明需要。

◆选择光色

一般环型节能灯的光色与荧光灯相似,而基色荧光节能灯的光色与白炽灯相仿,可以根据自己的爱好和需要进行挑选。

数字电视采购注意事项

首先确定要购买的尺寸;其次是品牌,每个品牌都有其不同侧重点及定位,价格差异也很大;第三是价位,不要盲目轻信最低价;第四是售后服务。另外,还要注意是不是高清电视机,是否带有 HDMI 接口等。目前,全国各地的数字电视运营商都为自己发射的数字信号进行了加密,所以按"机卡分离"的原则开发出来的一体机电视,能够将数字机顶盒内置于数字电视机内,不仅能大大简化解码程序,节省大量空间,也节省了机顶盒的购置费。因此消费者在购买数字电视前一定别忘了询问此项内容。

根据房间面积选购电暖器

因家用电表容量通常为 3 ~ 10 安培,最好选择功率在 2000 瓦以下的电暖器。通常情况下,12 平方米的居室适宜用 900 瓦的,15 平方米适宜用 15000 瓦的,20 平方米在电容允许的情况下可选用 2000 瓦的。平房或保温不太理想的房间应考虑提高加热功率。

电暖器的选用

市场上电暖器品种大致可分为远红外石英管电暖器、油汀电暖器和采用新技术的电热膜电暖器等。挑选时将不同电暖器放在同一水平线上,在每一个电暖器前后 1 米处放置温度计预备测温,分别记录开机前、开机 5 分钟及开机 30 分钟不同时段温度计显示的温度,然后进行比较,即可选出热效率高的电暖器。

数码相机还是数码摄像机确定需求再选择

就算是家用数码摄像机中的高端产品,拍照效果也根本无法与最普通的数码相机相比。如果不想浪费资金,就在数码摄像机中只注重对摄像功能的要求,不考虑照相,省下钱来另外再添点,就可以买一部很不错的数码照相机。

买数码相机不要只看薄厚不看功能

有的相机因为机身很薄,镜头制作会受到限制,所以太薄的相机镜头性能较差,功能也相对较少。机身厚的相机液晶屏普遍较大,看起来很舒服,但比较费电。因此,应从实际需要出发,如果注重照片质量就不应选择太薄的相机。如果对带电时间有要求,就不要选择机身较厚的相机。

◎ 机身厚一些的相机，镜头性能
更好，功能也比超薄的相机多。

看 CCD 选数码相机

CCD 是"电荷耦合器"的英文缩写，是数码相机的感光元件，相当于普通相机的胶卷。如果同是 400 万像素的相机，1/1.8 英寸 CCD 肯定比 1/2.7 英寸的要好。假如说在 500 万像素与 400 万像素之间进行选择，而 400 万像素的 CCD 为 1/1.8 英寸，500 万像素的 CCD 为 1/2.7 英寸，选择 400 万像素的数码相机效果更好。

家用数码相机不该只看高像素

家用数码相机的像素在 200 ~ 600 万之间就足够了。200 万像素可以达到 1600 × 1200 的分辨率，210 万像素可以完美地输出 5 英寸的照片，而 500 万像素能够输出 14 英寸的照片。如果没有放大特殊尺寸的要求，正常情况下 600 万像素的数码相机清晰度就已经很高了。

买数码摄像机一定要适合家用

如果不是专业需要，一款家用数码摄像机已经可以满足日常的需求，即使是对摄像有相当的热爱。如果自己的摄像技术增长速度还赶不上产品的更新速度，那么家用型号的数码摄像机的利用率会显得更大，性价比也会显得更高。

家用数码摄像机的重要参数

实际上,对于数码摄像机来说,只需 50 万有效像素就能够形成 500 线水平解析度。80 万以上的像素是足够家用的。

数码音响优选木质外壳

由于强度和共振效果的差别,数码音响木质外壳要明显好于塑料的,虽然售价上要稍高一些,如果条件允许的话,还是应该优先选择木质外壳。

根据信噪比选择好音响

信噪比指的是信号与噪声的比值,这个比值越大越好。在选择音响时可以进行一个简单的测试:打开音响的电源,在不接音源的情况下,开大音量,应该以听不到嘶嘶声为好,比较测试几款音响,选择噪声最小的。

认清功率选音响

功率也是许多用户在选购时很看中的一点,但是要注意,计算机音响的生产厂家往往故意将最大输出功率与额定功率混淆,以最大输出功率来吸引消费者,因此在购买时,一定要注意查看详细的说明,不要轻信厂家的说法。

辨明频响选音响

频响指的是频率响应,是音响所能回放的频率范围,因为人体的听觉范围为 20 ~ 2000 赫兹,所以音响要尽可能地回放在这个频率范围内。由于工艺等原因,这个指标实际上不可能达到,生产厂家一般标出的频率响应范围小于这个范围,因此,在购买时要以尽可能接近这个范围为好。

购买 MP3 不要贪小便宜吃大亏

MP3 种类众多,价格差异也很大,从一百多元到几千元不等。有的 MP3 价格低、保修期长,但并不等于是好产品,因为一旦出现质量问题,以后贴进去的时间和金钱可能比购买价格多很多。因此,注重产品本身的质量和性能是第一位的,不要贪小便宜吃大亏。

不要倾心于彩屏 MP3 的视频播放功能

许多 MP3 现在都可以播放特定压缩格式的电影文件,可是由于 MP3 屏幕大小的限制,效果不能尽如人意。如果是从 DVD 或 RMVB 格式转换压缩格式的视频文件,大部分情况下字幕是无法显示的。MP3 视频在收看上十分受限,因此没有必要为了这项功能而多花钱。

◎用 MP3 听音乐才是最佳选择,若用来看电影则效果差,且购买时价格较高。

选购音箱的窍门

要注意和已有的音响设备电路相匹配,主要考虑阻抗和功率匹配。

◎ 一般说来，扬声器的口径越大，音箱
的体积越大、重量越重，音质就越好。

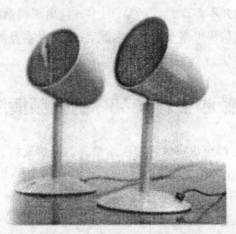

要注意音箱的结构。一般来说，低音扬声器的口径越大，对重放低音是比较有利的，但低音的重放效果还取决于音箱结构。从外观上看，音箱体积越大，音质越好。

选购冰箱应注意什么

首先是在容积的选择上，一般为每个家庭成员准备 70~80 升的使用容积，再根据生活习惯、经济条件、住房面积等做相应调整。其次看冰箱的能效标志，将冰箱能耗分为五个等级，等级 1 表示产品达到国际先进水平，等级 2 表示比较节电，等级 5 则是市场准人指标，低于该等级要求的产品不允许生产和销售。

选购电冰箱的窍门

◆容积选择

根据经济条件和使用要求，确定选购哪一种类型的电冰箱，然后再决定买多大容积的电冰箱。容积的大小,关系到购买时价格的高低和使用时消耗电费的多少。

◆外观选择

电冰箱外观颜色要均匀,电镀件光亮无锈斑,箱体完好、蒸发器规整,冷凝器、门把手、门轴等安装牢固,箱门封条严密并有一定吸力。还要注意箱门是否紧密贴于箱体,磁性门封的吸力是否足够,以及制冷系统有无泄漏之处,调温旋钮是否灵活。

◆震动选择

电冰箱在工作时,用手摸压缩机的外壳有轻微的震动,并伴有轻微的噪声,电冰箱的一些部件也会有轻微的震动,此震动在距离冰箱 1 米以外时,白天应觉察不出来。

◆铭牌标志检查

电冰箱应有耐久性铭牌,上边清晰标明总有效容积、额定电压、额定频率、气候类型、耗电量、产品牌号、型号、制造日期及编号等。

选购洗衣机涡轮的好还是滚筒的好

滚筒洗衣机可以洗真丝及羊毛等高档衣服,但噪声比较大。涡轮洗衣机其洗净度虽然比滚筒式高一些,但是因机械力作用大,易使衣物缠绕打结,磨损较大。

另外,涡轮洗衣机的功率、耗电量、洗涤时间比滚筒洗衣机小得多。在用水量上,滚筒洗衣机约为涡轮洗衣机的 40% 左右。

选购称心的饮水机

◆看品牌

大品牌的饮水机涉水部件全部采用国家认证的食品级材料,不会产生重金属污染。有些杂牌和小品牌产品采用非食品级材料,如与水接触就可能向水中释放重金属等有害物。

◆看认证

饮水机需要通过两个认证,一是 3C 认证,主要保障产品的电器安全性能;另一个则是卫生许可批件,用来保障卫生性能。凡是没有这两个认证的产品都存在隐患。

◆看外观

饮水机塑料件表面应光滑平整,色泽均匀。色泽粗糙无光,偏黄的塑料一般是回收料,回收料容易变色和产生污染。

如何挑选榨汁机

好的榨汁机应该榨汁干净彻底,果渣中所含的水分少。还要看渣滓储藏格清除果渣是否方便。带有电源线储藏格的容易收藏。在附件未安装情况下小心启动电源,看机器是否配安全锁定装置。

咖啡壶选购

日式咖啡壶只要注意下面的酒精灯与上面相配就行。美式咖啡壶有不同的容量,一般大家庭选择 6~12 杯容量的,小家庭选择 2~6 杯容量的。根据口味浓淡选择滤网:永久滤网或可更换滤网。

电炒锅选购注意事项

电炉式、连体式电炒锅的电源线应是三芯线,电源插头应是三个脚,购买时可用测电笔通电实测:通电时炉体外部及锅不应带电。分体式电炒锅的锅与炉体接触、炉体上开关旋钮应良好。因电炒锅的功率大都在 1000 ~ 2000 瓦。选购之前最好检查一下家中的电表。

如何选购炉具

检查外观是否完整,配件是否齐全,点火器点火时火花是否明亮。宜选择有熄火保护装置功能,使用较为安全。如果厨柜没有通风口,则要选择上进风炉具为佳。

怎样挑选抽油烟机

抽油烟机的选购不可马虎。在选购抽油烟机过程中,如安全性、噪声、风量、主电机功率、外观、体积、操作方便性及价格等各方面都需要了解。首先,噪声方面是不可忽视的因素,国家标准规定抽油烟机的噪声不超过 65 ~ 68 分贝。其次,由于抽油烟机每隔一段时间便需要清洗,因此拆装简单的抽油烟机应当成为首选因素。最后,塑料涡轮扇叶的抽油烟机的效果会逊于金属扇叶。　.

换气扇选购注意事项

◆吸顶式

在厨房等油烟较多、空气质量不好的地方不适合使用。

◆窗式

与其他形式的换气扇相比,窗式换气扇力度是最大的。

◆壁挂式

适合于卫生间、封闭阳台等面积小的房间。

陶瓷内胆微波炉效果更好

陶瓷传导热量的能力高,能将更多的热量保留在炉腔内,加热变得更强劲、更轻松,电力消耗却能保持最低限度。因其不易积尘,这样更便于清洁各种油渍及污渍,还能抑制细菌在炉腔表面生长繁殖,防止产生异味。

选购电磁炉不是功率越大越好

一般来说,3 人以下的家庭选 1000 瓦以下的电磁炉,4～5 人选 1300 瓦左右,6～7 人选 1600 瓦为宜,8 人以上选 1800 瓦。功率越大加热速度越快,但其售价也高,选购时应根据经常用餐人数以及使用情况而定。建议购买大电流大功率的电磁炉,可靠性高,不易损坏。

选电磁炉还要看散热风扇

因为持续加热,电磁炉内部需要散热风扇来降低炉腔内的温度,保护电子元器件的正常使用。买电磁炉时要试机,接通电源开机,除了正常的散热风扇声音,应听不到其他杂音及电流声。

选购电磁炉要注意安全性

电磁炉的质量取决于高频大功率晶体管和陶瓷微晶玻璃面板的质量。为保证安全,电磁炉应设有小物件检测、过热自动停机保护、过压或欠压自动停机保护、空烧自动停止加热保护、2 小时断电保护、1～2 分钟自动停机保护,以及声光报警显示等多种保护装置。

选购带"防电墙"的热水器

水带电问题是目前热水器最大的安全隐患。发生的热水器洗浴安全事故,几乎百分之百是因为"地线带电"、"水管带电"等问题引起的。目前热水器上普遍采用的漏电保护器,对于供电环境引入的水带电问题是不起作用的。所以,应该选择带"防电墙"的热水器。

热水器究竟是圆形的好还是方形的好

圆罐形的设计受力最均匀,最能承受高压,而方形或其他形状受力不均匀,不能耐高压。因此,想让电热水器耐压性能达到最强,最好是选择圆形设计。

依重量选购燃气热水器

燃气热水器质量好坏与否,主要取决于材质。名牌优质的燃气热水器总重量一般在 8 千克左右,而杂牌产品的总重量却只有 3～4 千克。正规厂家的水箱循环管都是以紫铜为材料,部分小厂家则以黄铜代之,但紫铜要优于黄铜。

看品牌选购太阳能热水器

选购时,要挑选具有自动上水、止水和自动显示水位、水温以及光电互补型的名牌产品,以便使用起来既安全,又不会耽误在雨雪天气里使用热水。

看材料选购太阳能热水器

用泡沫塑料做热水器保温材料的,一般使用寿命只有 3～4 年,而采用聚氨酯做材料的可达 15 年以上。不锈钢储水箱虽比镀锌材料水箱价格贵十几倍,但使用寿命长,箱中储存的水可供饮用。而镀锌的水箱不但寿命短,箱中的水也只可供洗涤。

太阳能热水器冬天好用是标准

选购太阳能热水器时最根本的是应以冬天好用为标准,看看冬天能不能提供足量的热水,即冬天水箱保温效果如何,而不是价格。

国内大型企业在热水器保温处理上,采用微电脑控制,全自动恒温高压定量发泡,一次成型,保温性能稳定,使用寿命长达十几年,比普通热水器的保温寿命长 3 ~ 5 年。

选购浴霸的窍门

◆看耗电量与功率

每个取暖灯泡的功率都在 275 瓦左右,应考虑其耗电量。

◆看产品售价和外观

由于浴霸对取暖等技术要求非常严格,高质量的浴霸市场售价不会很低。4 个灯正常售价应在 500 元以上,随功能变化而浮动价格。如果价格过低,就要考虑它的品质了。

家装

结实家具如何选

在选购家具时,椅子、凳子、衣架等小件家具可以在混凝土地上拖一拖,轻

◎ 量好摆放处的规格尺寸，再购买家具，既美观又合理地利用了空间。

轻摔一摔，声音清脆，说明质量较好。如果声音发哑，有噼里啪啦的杂音，说明榫眼结合不严密，结构不牢。写字台、桌子可以用手摇晃摇晃，看看稳不稳。沙发坐下用力晃一晃，如果不活动，不发软，没声音，说明榫眼结构比较牢靠。方桌、条桌、椅子等腿部都应该有四个三角形的卡子，起固定作用，如果是包布椅可以用手摸出来。

要注意家具木材含水率的高低

家具的含水率不得超过12%，含水率高了，木材容易翘曲、变形。购买时，用手摸摸家具底面或里面没有上漆的地方，如果感觉发潮，那么含水率起码在50%以上，根本不能用。挑选人造板，如有变形、边胀、中间凹凸现象，说明木材含水率很高。

家具材料是否合格

家具的表面用料，如桌、椅、柜的腿子，要求用硬杂木，像水曲柳、柞木等，比较结实，能承重，而内部用料则可用其他材料。大衣柜腿的厚度要求达到2.5厘米，太厚就显得笨拙，薄了容易弯曲变形。厨房、卫生间的柜子不能用纤维板做，而应该用三合板。因为纤维板吸水力强，遇水就会膨胀、损坏。餐厅的桌子则应耐水洗。发现木材有虫眼、掉沫，说明烘干不彻底，这样的家具不能买，因为虫眼会越咬越大。

检查完表面,还要打开柜门、抽屉门看里面,内料有没有腐朽,可以用手指甲掐一掐,掐进去了就说明内料腐朽了。开柜门后用鼻子闻一闻,如果冲鼻、刺眼、流泪,说明胶合剂中甲醛含量太高,会对人体有害。

木家具购买前须掌握的要领

购买木家具前,须先测量好欲摆放处的面积,算准确长、高、宽等规格尺寸。室内配置全新家具时,家具占地以不超过地面面积的 45% 为佳,贴墙家具最高者以不超过墙体高度的 80% 为好(不包括整体装修如做壁橱),多留出一些空间能显得宽松和舒适。

◎ 边角为圆弧的家具,可有效降低儿童受伤的危险性,最适合儿童使用。

木家具质量的选择

从用材和内结构看:木材用料是否有糟朽、疤节或被虫蚀;部件间连接部位是否有崩碴儿或细微裂纹;内部料加工得是否光滑无毛刺;榫接处或连接件衔接是否牢固无松动;包厢板件表面是否平整无明显翘曲;所用人造板材不能有甲醛等刺鼻气味,并必须做封边处理;贴薄木或其他装饰材料要坚实平滑;不得以中密度板条或刨花板条做边框、立柱、撑子等承重部件。有抽屉的最好有金属或硬塑滑道,无滑道的将抽屉拉出 2/3,其下垂度宜在 20 毫米之内,摆动度宜在 15 毫米之内。

老人、新婚夫妇及儿童如何选购木家具

老年人最好不选高大的组合柜或联体柜之类,避免登高取物造成不安全。新婚夫妇选家具宜预先考虑好孩子出生后的问题,尽量不选择玻璃门较低的家具,杜绝不安全隐患。儿童家具更要避免棱角分明,以选择边角有圆弧的为好。

同一房间内木家具的选购

选购放置在同一房间内的家具,要注重款式、造型及风格的统一,色调要和谐。如果是更换个别家具,就要选择同原有家具款式风格、颜色尽可能相近的。要注意的是,实木和木质家具可摆放在同一房间,而板式家具则不宜和这两种家具在同一房间混合摆放。

红木家具选购要看制作工艺

选购红木家具时,除注意其颜色、天然花纹外,还要看家具制作工艺,卯榫结合是否牢固,拼接是否严密和洁净,漆膜是否透亮平滑,雕刻是否层次清晰,镶嵌是否完整光洁,圆角是否平滑,线条是否均匀顺直,装饰是否得体等。

松木家具的选购

轻压家具的各个受力点,如柱角、抽屉或架子支撑等处,测试是否稳固。特别注意重型家具组件的接口处,应有螺盖紧固。检查抽屉的滑动和定位,打开所有门扇,确保安装得当,使用时无碍。用手摸一摸家具的表面,看它们是否平滑,是否有可能钩破衣物的突出物以及木材的纹理是否清晰明了。

板式家具注意表面质量

板式家具选购时主要看表面的板材是否有划痕、压痕、鼓泡、脱胶、起皮和胶痕等缺陷,以及木纹图案是否自然流畅。选择对称家具要色彩、纹路和谐,让人感到如同出自一块材料。

板式家具注意制作质量

板式家具在制作中是将成型的板材经过裁锯、装饰封边、部件拼装组合而成的,其制作质量主要看裁锯质量,边、面装饰质量和板件端口质量。

板式家具注意金属件与塑料件的质量

板式家具均用金属件、塑料件作为紧固连接件,金属件要求灵巧、光滑、表面电镀处理好,不能有锈迹、毛刺等,配合件的精度要求更高。塑料件要造型美观、色彩鲜艳,使用中的着力部位要有力度和弹性,不能过于单薄。开启式的连接件要求转动灵活,内部装有弹簧的要松紧适当。

板式家具注意甲醛释放量

板式家具的甲醛释放量国家有标准规定。消费者在选购时,打开门和抽屉,若嗅到一股刺激异味,造成眼睛流泪或引起咳嗽等状况,说明甲醛超标,不应选购。

选择耐火板作为橱柜门板

耐火板(防火板)用于橱柜门板有其无法取代的优点,耐火板具有耐磨、耐高温、耐刮、抗渗透、易清洁以及色泽鲜艳的特性,非常符合橱柜的使用要求,适应厨房内特殊的环境,更迎合了橱柜美观与实用相结合的发展趋势。

布艺家具要看是否适宜多换洗

不同花色的布艺家具可以随心情或季节变换,有幼童的家庭,因布艺家具较为柔软,有着即使碰撞也不会受伤的特质,在孩子尿湿或打翻饮料时可立即换洗。有的布艺家具的外套工艺不过关,多洗几次会面临脱线、掉绒的问题,在购买前要问询清楚。

防盗门的选购常识

防盗门的安全级别可分为 A 级、B 级和 C 级,其中 C 级防盗性能最高,B 级其次,A 级最低。在建材市场里看到的大部分都是 A 级防盗门,比较适合一般家庭使用。

锁具合格的防盗门一般采用三方位锁具,不仅门锁锁定,上下横杆都可插入锁定,对门加以固定。劣质防盗门则不具备三点锁定或自选三点锁定结构。

工艺质量应特别注意检查有无焊接缺陷,所有接头是否密实,油漆电镀是否均匀、牢固、光滑等。

墙面装饰材料的选择

家居墙面装饰尽量不要大面积使用木制板材装饰,可将原墙面抹平后刷水性涂料,也可选用新一代无污染 PVC 环保型墙纸,甚至采用天然织物,如棉、麻、丝绸等作为基材的天然墙饰材料。

地面材料的选择

地面材料的选择面较广,如地砖、天然石材、木地板、地毯等。地砖一般没有污染,如大面积采用天然石材,应选用经检验合格、不含放射性元素的板材。选用复合地板或化纤地毯前,应仔细查看相应的产品说明。目前木地板的种类很多,就其本身来讲,实木地板是不含有害物质的,而质量伪劣的复合地板可能包含有害物质。

地面材料的有害物质

有害物质包括两个方面:

有胶粘剂的地板所含游离甲醛释放量过高,如果游离甲醛超过 40 毫克/100 克则对人体有害,是不允许在市场销售的,最好选用甲醛含量在 10 毫克/

100 克左右的绿色环保地板。

在刷油漆过程中用到各种有机溶剂,如甲苯、硝基苯等均会散发出对人体有害的气体。所以,建议在购买地板时尽量买烤漆地板。

顶面材料的选择

居室的层高若不高,可不做吊顶,将原天花板抹平后刷水性涂料或贴环保型墙纸即可。若局部或整体吊顶,最好用轻钢龙骨纸面石膏板、硅钙板、埃特板等材料替代木龙骨夹板。

软装饰材料的选择

窗帘、床罩、枕套、沙发布等软装饰材料,最好选择含棉麻成分较高的布料,并注意染料应无异味,稳定性强且不易褪色。

木制品涂装材料的选择

木制品最常用的涂装材料是各类油漆,也是众人皆知的居室污染源。

在选择涂料时,除了颜色和光泽外,最重要的是要选择环保涂料。最好到指定品牌专卖店去购买,真正的品牌代理商都有一系列检测证明文件。在施工中,即使是胶和底漆选择了环保涂料,在基底处理时也不能马虎,使用知名品牌的底漆不仅能保证整体效果,从环保的角度考虑也绝对必要。另外,胶的使用也要注意,107 胶内含有害物质,国家有关条例已经明令禁止在家庭装修中使用107 胶。对于这些容易被忽略的辅料,一定要特别注意。

注意做好季节性维修

家装工程完成后,对工程中的季节性开裂要进行维修。如门套和墙、石膏线与墙的连接处,两种不同材质的膨胀系数不一样,在季节性变换、空气湿度发生变化时易发生开裂,这种开裂属于正常开裂,从潮湿的夏季到干燥的冬季,这种现象更是常见,所以要找信誉好的品牌装修公司签订合同,注明保修期,如出现上述情况会对其进行修复。

选择带有环保标志的绿色装饰材料

装修房屋的时候,要选择带有环保标志的绿色装饰材料。可以向中国建筑装饰协会等单位咨询这方面的详细情况,也可以请室内监测中心的人员来检测室内的空气质量。

选购"特异功能"的窗帘

为了防晒,挑选窗帘时不妨挑选有"特异功能"的窗帘,即朝室外的那面是涂层遮光布,可以有效隔绝紫外线。里面是深色的布面,拉上窗帘,睡眠的气氛立刻显现。

植绒面料的窗帘较为厚重,隔音、遮光效果好。选用红、黑配合的窗帘,有助于尽快入眠。

玻璃镜质量巧辨别

◆看镜面水平度

把镜子立在地上靠稳后,看看镜面有无竖流(如同下雨一样的雨线)和横流(如水波纹样),有竖流或横流的则为次品。这种镜面照出的像,左右不对称,上下不协调。选购玻璃镜时,可对着镜子,让其旋转一周(按镜子所在的平面转动)再进行观察,如果不走样,不变形,无重影,说明镜子平坦,质量好。

◆看镜子光洁程度

看镜子是清亮还是乌亮,以清亮透澈为佳。如果镜面发乌,像蒙上一层雾气一样,说明玻璃潮湿未干就镀银了。

◎ 镜中的物品，左右对称，上下协调，色调与实物一致，说明镜子质量好。

买房租房

买房要明确真实的地理位置

买房不但要考虑居住是否舒适，同时要考虑交通是否方便，因此在买房之前，消费者一定要学会看懂房子真正的地理位置。所有房地产广告都会画个位置示意图，越画越艺术，仿佛各个毗邻。

江湖、山川，那些吸引你的优美风景可能在几千米以外，你只有对照坐标，在真正的地图上查找，才会知道这楼盘的真实位置。最保险的办法就是亲自去一趟，感受一下周围的环境和交通等配套设施。

买房要看清价格

购房人应弄明白卖房广告上的价格是均价还是起价。如果是起价,那是楼盘房屋的最低价格,而实际价格,会因楼层、朝向、户型以及施工进度而增加。起价多是为了吸引购房者而重点宣传的,理性的消费者应该先弄明白自己想要购买的那一套房子的实际购入价格是多少。最好亲自打电话咨询售楼人员。

别被户型图迷惑

户型图对购房人有吸引力,但是你别被它迷住,得亲自去看看是不是有户型图上展示得那么好。因为有的户型图比例明显不当,感觉上会比实测中空旷得多。

购房宜先明厨明卫

厨房与卫生间是居室内最重要的服务空间,首先应选择明卫与明厨,因为自然通风与采光对厨房与卫生间的洁净干燥效果是最佳的。另外,厨房的位置也很重要,其与餐厅之间联系要紧凑,两者之间的行走路线不能被破坏。除此之外,还应考虑厨房面积、形状是否合理,是否兼顾了储藏、清洗和烹调等各项功能,以及能同时容纳几个人作业。

看房时带把尺子

看房的时候带把尺子,这是有经验的看房者的总结。看房肯定不只看一处房子,亲自用尺子量过,记录下来,能够获得第一手的资料,有利于看过之后回家再进行比较,避免因为受到样板房或者房屋朝向而得出比实际要大或者小的印象,不利于做出正确的购买决定。

"三大一小"只作房屋格局参考

"三大一小"是近年来户型设计中的流行趋势。开发商在户型设计时大多

◎ 自然通风对卫生间来说非常重要, 可使

之尽快洁净干燥, 防止异味。

遵循这一原则。然而, 人们也看到许多开发商盲目追求"三大一小"概念, 在居室总面积确定时, 把客厅设计得过大而卧室过小, 破坏了居室内部的协调性与合理性。由于现在主卧室已逐渐成为人们的重要生活空间, 功能较以前增加了许多, 相应也要求扩大主卧室面积。而户型设计时, 可进入式衣柜的出现, 也使得主卧布局更为灵活, 房间进深可以适当增加。这种隋况下再墨守"三大一小"的原则, 一味过度追求大厅, 就不太恰当了。

了解开发商

购房人看房地产广告时, 一定要了解开发商或其他参与项目单位是否值得依赖,有机会的话去开发商已有的楼盘看看,问问已经入住的业主,了解房屋的质量和使用状况,不了解别轻易购房。

看房要多时段

买房子要多看,不但要在白天看、晴天看,也要在晚上看、阴雨天看,尤其是看房子室内环境。阴雨天会显示出小区的地下排水、小区的交通出行、住宅内部的防水质量和装修质量。很多在晴天或者白天没有发现的问题,在晚上和下雨的时候就会暴露出来。所以买房最好能够在不同时段多看,不放过任何一个深入了解的机会。

购房时房间格局的考虑顺序

在购房时考虑居室各部分的优先顺序是:第一,看起居室(厅)是否好用,包括厅的面积、布局等。第二,看主卧室的合理性,如面积、采光条件、居室私密性。第三,看相对独立的餐厅的功能。第四,看厨房的环境,一个宽敞好用的厨房,往往比次卧室更为客户所看重。第五,看次卧室(书房、客房)。最后看阳台。

别被优惠迷了眼

目前房地产广告中都登有项目的优势与优惠,却从来看不到该项目的弱势与弱项。你得想想是真是假,别被什么"机不可失"之类的字眼所迷惑,更别为各种名目的优惠而心动。因为很多优惠可能是指定房子或者有一定的附加条件的,一定要问清楚。

厅跨最好在 3.9 米以上

客厅是家庭使用频率很高的地方之一,在厅的选择上,厅跨也是一个较为关键的因素。厅跨太小会给使用带来极大不便。一般而言,厅跨应在 3.9 米以上较为适宜,至少也应满足 3.6 米。

买房要看空间与环境设计

建筑应体现个性,群体建筑与空间层次应协调统一,富有变化:公共服务设施应设置合理,避免烟、气(味)、尘及噪声对居民的污染和干扰;区内设置一定的建筑小品,丰富和美化环境;注重景观和空间的环境设计,应处理好建筑、道路、广场、院落、绿地和建筑小品之间及其与人的活动之间的相互关系。建筑间距是指两幢建筑的外墙面之间最小的垂直距离。住宅建筑间距应以满足日照要求为基础,综合考虑采光、通风、消防、防震、卫生、环保、工程管线埋设、避免视线干扰、建筑保护建设用地规划(加容积率、覆盖率等控制指标)等方面的要求确定。

哪几种房子不能买

以下几种房子不能买:产权可能有保证,但取得权属证件的时间没有保证;为取得产权,购房人要额外支付费用,如补交土地出让金、罚款等;房屋可以使用,但无法取得产权;房屋被政府征用或者拆除;集体所有土地上兴建的房子。

买房要看清平面图

◆方位

如果预售平面图上未标明南、北向,购房人可向现场销售人员询问。

◆景观

除了平面图外,通常房产公司还会画上全区配置图,应仔细了解小区内外的道路交通情况。

◆栋距

两栋楼之间的距离最好超过 8 米,窗户不是面对面地整齐排列,否则隐秘性不好。

◆采光及通风

房屋的采光面越多越好,如果某屋只有一面采光却隔着三间房,房屋采光很差,就算白天进屋也一定要开灯。

◆格局与空间的合理性

室内格局要能完整区分公共区(如客厅、餐厅、公共卫浴)及私密区(卧房),而附属建筑物与主建筑物的面积分配也要成正比。

买房要注意"软件"

◆安全感的要求

自身安全是生存的第一需要。住宅安全措施主要指防盗安全和防火安全。

◆保健性要求

住宅需要有良好的通风、充足的日照以保证人体需要的温度、湿度、阳光以及清洁的空气等。

◆私密性要求

住宅设计中应隔音、避免户间的"对视"等。

看房要看房屋硬件

◆考察墙体

一要看隔音效果,二要看工艺,墙角线是否平直、均匀,墙面是否均匀、光滑。

◆检查门窗

主要检查关闭是否严实,开启是否自如,玻璃与窗框的附着是否牢靠。

◆检查管线

管道设备要看其是否通畅,煤气管是否接通,插头、插座通电情况等。

◆密度错觉

沙盘上看起来楼之间宽松通透,绿化清新可人,但有可能现房楼间距很近。

◆设计改变

在方案报审过程中,规划部门要求项目在某些方面进行调整,审定的结果可能与原来的图纸不同。

◆观看角度

看模型是俯瞰的角度,沙盘比现房看起来要疏落有致得多。

购房注意室外景观

在购房时,住宅的面积、居室数、朝向、内部布局等都是考虑的重要因素。但是,如果室外景观优美,即使传统上认为较差的朝北户型也很受购房者欢迎。现代生活中,人们工作繁忙,白天较少有时间在家休息,加上空调等电器的普及,人们对日照等自然条件的要求有所减弱,而对优美景色的需求却在增强。

买房要看物业管理

◆安全方面

主要看是否24小时有巡逻、楼宇实时监控等。

◆生活便利方面

清洁工作是否到位,是否能够提供一些订餐、代雇保姆之类的服务等,总之尽量提供最周到的服务，让业主觉得省心、简单。

◆费用方面

绝对不是越低越好，要看"性价比"，物业管理内容周到，但却是中档价格，就很合算。其实把多家服务内容逐一对比，就容易看出优势。

物业公司管理规模越大越好

物业公司的规模是目前购房者在作选择时最关心的。公司管理的住宅品种较多，包括各类档次的商品房、动迁房、别墅等，无疑会让人放心。管理面积越大，管理体制越完善，专业分工也越细。规模性经营能降低成本，这是当前普遍亏损的物业公司所竭力追求的。

小区内规划要合理

小区内的合理规划具体体现在：方便居民生活，有利于组织管理；组织与居住人口规模对应的公共活动中心，方便经营使用和社会化服务；合理组织人流、车流，有利于安全防卫；构思新颖，体现与环境的协调性、统一性。

购房理财技巧与策略

买房理财技巧主要体现在三个方面：一是将微利存款转为住房投资，提前享受生活；二是将租房改为买房，变租金消费为住房投资；三是以今天的房产积累资本，为将来换房提供相对宽松的资金保障。

买二手房房屋产权验仔细

首先，弄清楚产权证上的房主与卖房人是否为同一个人，并要求卖方提供合法证件，包括产权证书、身份证件、资格证件以及其他证件。其次，确认产权证所标注的面积与实际面积是否相符，向有关房产管理部门查验所购房屋产权来源及其合法性。最后,确认产权的完整性,查验房屋有无债务负担,有无房产抵押,包括私下抵押、共有人等。

买二手房装修结构弄清楚

将二手房最初购买时的装修情况弄清楚,最好了解其住宅的内部结构图,包括管线的走向、承重墙的位置等,也好便于重新装修。

买二手房物业杂费看真切

算算居住费用,包括水、电、气的价格,观察这些费用如何收取,是上门代收还是自己去缴,三表是否出户。看看所购买房屋的物业管理费收取标准是多少,自驾车族还要查看其车位的费用。

谨防租房骗术

如果房租明显低于市场价,并要求年付或者是半年付的,需要警惕。

看房都是免费的,签合同之前一定要看房产证原件,如果业主本人不来,一定要出示房产证原件和业主本人身份证原件、业主本人手写的委托书,租房者可以提出去见业主本人,看业主的户口簿。

什么时候租房最合适

过年的月份租房相对便宜一些,其他所有的时间基本上都是一样的。不过也会因为学生租赁高峰,7、8月份房租上涨。实际上价格没有明显变化,只是房源少了。

独租不如合租

合伙租房比独租更经济。若两人合租,费用会比单人独租减少将近一半,而且两人合租互相也有个照应,对刚踏入社会的年轻人来说也非常合适。

◎ 性情、习惯相近的合租伙伴相处起来会更融洽，也会给彼此的生活带来便利和欢乐。

合租注意房产证的识别

新的房产证有简单的识别方式,是枣红颜色,34 开纸,纸张比较硬,是印钞纸,跟人民币是一样的纸张,有很多水印在顶上,平面上有很多高的建筑。旧的房产证就是简单的白纸,没有太好的识别方式。为了避免受骗,我们可以要求业主提供原始购房证明,或者是购房发票收据之类的东西。

合租注意选择习性相近的伙伴

首先要在合约里面约定房租、水电、煤气等费用大家怎么交,共用卫生间、厨房的使用方式。合租必须要了解各自的生活习惯,如果习惯差别很大最好不要合租,不管相互之间是否熟悉。

物业管理费、取暖费问题

如果是集中采暖都是业主出,老房子的物业费原则上是业主出,租户只承担卫生费就可以。如果物业费和取暖费全部由租房者出,相应的房租就会低一些。

租房寻找有信誉有实力的房屋中介公司

较大的房屋中介公司房源多,挑选余地大,省时省力。有了中介公司,三方签订合同,不必担心有人突然来催搬。找到一处合意的房子,付出一定的中介费还是合算的。

租装修全配房不如租空房

如果估计自己租房时间在一年以上,那么租空房更合算。租空房省下来的钱,买二手家具、家电绰绰有余。将来要搬走时,还可以和房东商量,把电器、物件折算成最后几个月的房租,对双方来说都是合算的。

长年租赁中介费是否要重复收取

北京市的中介费都是按照成交价交一个月的租金,只交一次,就相当于一个月的房租作为收费标准,即便连续组很多年,也不用再交中介费。但如果是代理房源续签,只能和中介公司再重新签合同。另外,中介费一定是签租赁合同时才交,没成交就不交钱,前期服务都是免费的。正规的中介公司不收看房费。租用正规中介介绍的房子,租房者如果被房东骗了,中介要给予赔偿。

合租时和二房东签合同要当心

你有权要求看业主和二房东的租赁合同,确认房东是允许他再租的。合租的话建议互留证件和联系方式,不要年付房租。不管关系多么亲密,都要更换房间门锁,贵重物品要保管好。

找中介租房是否可行

找中介租房时,租房者一定要见到业主,确认是不是业主向中介公司付代理费,看不见业主不要租房。

代理房源的可信度

代理房源即业主把房源委托给中介,双方签订合同,所有的风险中介先行承担,租房者再跟中介签租赁合同,如果因中介原因导致租房者被骗,中介要承担所有的费用。中介如中途退租要双倍赔偿。租房者应该看中介与业主的协议,以及业主的房产证和身份证的复印件。

短租不如长租

在房产市场不景气的情况下,如租期长就可得到优惠,长租算下来要比短租合算。

爱车选购

购车先参照市场占有率

汽车选购之前一定要考虑车辆的保养与维修。如果汽车很好,机器也很不错,只需要保养就可以了。但是,要是别人将你的爱车撞坏了买不到配件怎么办? 所以为了避免出现这样的问题,建议你买车时一定要调查好汽车的市场占有率。市场占有率越高的车,配件就越便宜、越好买。

年底购车实惠多多

年底是厂家及经销商结算一年销量的时候,厂商都需要清理掉一年中剩余的库存,为下一年的销售计划或新车上市做好准备。经销商和厂家通常都会降低价格或增加售后服务年限等优惠政策来增加销量,以求完成一年的销售计划。因此,这时候购车很实惠。

买车要交纳多少车船使用税

车船使用税按年征收,纳税人在规定的申报纳税期限内一次缴纳全年税款。对购置的新车船,购置当年的应纳税额自纳税义务发生的当月起按月计算。计算公式为:应纳税额=(年应纳税额÷12)×应纳税月份数。

买车要交纳多少保险费

根据道路交通法有关规定,车辆如果没有购买车辆损失险和第三者责任险的情况下,不可以"上路"。私家车最好买全险,即:基本险+附加险。

车险的基本险是指:车辆损失险、第三者责任险。附加险包括:玻璃险、车灯险、全车盗抢险、车身划痕险、车上人员责任险等。在险种的选择上要考虑是不是"新手"、开车的习惯、车辆存放的地点是否安全、车上经常是几个人、当地路况等而决定。

面对销售人员要有备而来

前往车店,你应该有所准备,考虑一下有哪些问题需要提出并加以考察。如果能提出十分内行的问题,销售人员会很乐意回答你。你还可以提出一些挑战性的问题,如:这个车和另一品牌相比怎样? 一般来说,销售人员会努力推荐自己所经销的品牌,而他们的职业道德又不应该贬低其他品牌。如果你听到销售人员采用客观委婉的方式比较不同品牌,并且与自己考察的结果相近,说明该销售人员诚实、业务过硬,该车店管理有方。如果他大肆贬低其他品牌,而且又与事实不符,这样的销售人员是不称职的,他的话只能作参考。

新手买车验车

◆看底盘和电瓶

趴下身看车底下有没有机油点,底盘有没有油污。看电瓶接头是否腐蚀,小窗是否绿色。注意电瓶接头一般是松的,开走前一定要经销商拧紧。

◆拉出机油尺看机油颜色

有些新车不接里程表跑了许多路,显示还是十几千米。看机油要着车 3 分钟后熄火,拉出油尺用纸巾擦拭,油黑的淘汰掉。

◆检查做工

要看各个线头连接情况,是否有晃动等,各个部位都要看。

◆远听发动机声音

打着两辆车,你站在中间位置,离开两车距离相等,你感觉到声音大的淘汰,可以转个身再听,以免你两耳听力不同出错觉。

◆细听发动机声音

打开前盖,用螺丝刀一端顶在发动机上,另一端顶在耳朵上听声音,好的发动机只有一种呼噜呼噜声,不会有其他的杂音。如有人能帮忙踩油门升发动机转速,自己用心判断更好。再堵住排气口,假如发动机声音明显变沉并几秒钟就熄火,就是好车。

◆看全车外观

看车门的缝隙是不是均等、玻璃是不是原配的(玻璃下角有标记),以免是辆有过事故的车。事故中如伤及轮胎,只要经销商不换,就会有痕迹留下。

◆检查驾驶舱

进驾驶舱,对着说明书检查各种按钮、开关是否都有效。灯光、音响、空调、座椅、安全带、电动窗等要一个一个测试。留意是否会有控制台面板上刮掉的漆。可自带 CD 去测试音响。

买自动挡还是手动挡哪个更合适

手动挡汽车价位相对低,省油、维护便利、技术相对成熟,驾驶乐趣较多,比较适合驾龄长、驾驶经验丰富的人群。自动挡比较费油,成本较高,比较适合技术比较欠缺的人群。

购车用团购省事又省钱

团购通常分为两种。一种是指某些团体集团通过大量向供应商购物,以低于市场价格或优于现行售后服务的采购行为。另一种是一些厂家为了完成任务或达到一定的市场占有率推出的大额团购活动。消费者可通过单位、中介、网络媒体等,自愿结成购买团体集中砍价、采购,从团购中得到实惠。

汽车拍卖会上淘实惠

◆安全可靠

如果在拍卖过程中,汽车的瑕疵被隐瞒,消费者可以要求返还购车款,并可追加赔偿。参加拍卖的汽车,全部都是经过车管部门和相关部门检验的。不仅来源合法,而且交易手续齐全,买家完全可以放心购车。

◆手续简便

通常汽车拍卖会举办现场都配备了代办公司,如果竞拍成功,拍卖公司会

委托代办公司交易过户,并代办完成相关手续,不让购车者费心。

网上汽车团购

为了方便购车,并能从团购中得到实惠,消费者可以通过网上报名采购的方法参加团体购车。如在百度中搜索,在搜索引擎打上"某某城市汽车团购"等关键字,点击搜索,便可以查到各大经销商的团购价格及优惠政策了。

汽车售后服务很重要

汽车维修保养等售后服务非常重要。如果只片面追求低价,经销商很可能

在售后服务等环节做手脚。所以在团购合同上一定要明确汽车质量及售后服务承诺。

标准配置最经济

消费者可通过"先买后配"的方式省钱。购车时的额外消费如高级音响、汽车 DVD 和 GPs 可等买车后再配。如有高级需求可直接到汽修厂采购。通常费用会节省一半以上。

贷款购车也要省钱

因为每家贷款购车公司的手续费都不同,所以一定要货比三家,比价格、比服务,从而挑选出最优的。贷款购车公司主要是赚买家的购车手续费和保险费的提成钱。所以,建议你与代办保险的人一同去保险公司,直接与保险公司砍价,即可节省大量费用。必须亲眼看到保险单,以免有一些不法的代理公司从中做假保险单赚钱,给你带来不可估量的损失。

贷款买车注意事项

◆押金不要随意交

买车时消费者需另行交纳的费用有:购车附加税、保险费、上牌费。如销售者代为办理,只能收取国家统一制定的资费标准。消费者不应缴纳各种形式的押金。

◆合同条款要看清

消费者按揭贷款购车,如汽车销售商提供担保,其提供的合同大多为事先拟订好的。消费者应当仔细审查合同内容,对于不明白的应及时到律师事务所进行咨询。

◆保险公司自由选择

目前凡经国家保监委审批合格的保险公司,都能提供规范的保险业务,但费率不尽相同。选择一家费率低、服务规范的保险公司,将会省去很多的金钱

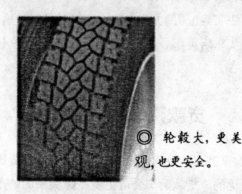

◎ 轮毂大, 更美观, 也更安全。

和时间。

考虑轮毂尺寸来买车

轮毂尺寸不只是美观问题。轮毂大,胎的扁平比就大,操控性就好。大轮毂的车辆倾移不明显,安全性也提高很多。

座椅面料关乎舒适性

真皮座椅的缺点是冬冷夏热,优点是便于清扫和保养。布面料的优点是冬暖夏凉,缺点是需要经常清洗,夏天驾乘者的汗渍不好清除。选择座椅面料要根据自己喜好和需要而定。

买车考虑变带箱

现在的车多为五挡或六挡,挡位多,意味着转速比大,跑起来就会省油。汽车的三大件有发动机、变速箱、底盘,在买车时不可忽视变速箱的质量和水平。

汽缸数与最大车速

买车要考虑汽缸数和最大车速。在同等路况下,最大车速高的车跑起来轻松,6缸车跑起来比4缸车轻松。一般来说,同排量发动机缸数越多,燃烧越充分,也就更省油。

买两厢好还是三厢好

三厢是指发动机仓、成员仓、后备厢,可以有更大的载物空间,但是相应的会增加油耗,在拥挤路况下灵活性不如两厢车。两厢车就是成员仓与后备厢之间,车顶平滑过渡,车内没有密封隔挡。通常两厢车会比三厢车短一些。两厢适合装载大型物件或少量小型行李。

欧系车、美系车和日系车哪个更好

欧洲人造汽车的理念是强调技术上的先进性和高度安全性,在制造技术、零部件的制造和选材方面较严格,拥有良好的技术性和耐久性。车价相对偏高。

美系车强调舒适性和动力性,兼顾安全性,但油耗大。

日本车的设计理念即油耗最小、使用成本最小,舒适性和使用便利性最大。比较适合家庭使用。

新车和二手车哪个实惠

新车和二手车相比,二手车价格相对便宜,省去了上牌等费用支出,如果车况良好将是最具性价比的选择。只是在选择二手车时要注意其来源,绝对不要购买来路不明的车,最好选择品牌经销商的产品购买。

买车首要讲安全

买车时,要看有没有配备ABs、EBD及安全气囊,有没有一个构架合理的底盘系统,钢板厚度是否在日常应用时容易变形,车架设计有没有充分考虑碰撞时驾乘人员的安全等。车身颜色的安全性排序白色、银灰色、蓝色、绿色、黑色。

烧油、烧气哪种好

发动机使用天然气比汽油和柴油使用成本、维修费用大幅降低。燃气车噪声低、不积碳,能延长发动机使用寿命。缺点在于存在安全隐患。

柴油轿车比汽油轿车有何优越性

车用柴油比车用汽油价格低,柴油发动机比汽油发动机功率大,寿命长,动力性能好。柴油轿车排放产生的温室效应比汽油低45%,一氧化碳与碳氢排放也低,不足之处是有害颗粒排放大。

明智选购汽车防盗锁

汽车防盗锁一般有三种产品:一是方向盘锁,锁后方向盘不能转动;二是排挡锁,锁后不能挂挡;三是脚挡锁,锁后刹车、离合器、油门踏板踩不下去。这三种锁的共同要求是:锁梁要有一定的硬度,使钢锯不能锯断锁梁,锁芯还要具有防钻功能。

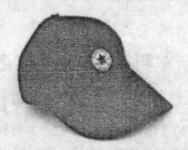

◎ 大部分鸭舌帽的尺码可以调整,这为购买鸭舌帽的人省去了量自己头部尺码的麻烦。

服饰选购

帽子尺码选定法

帽子的尺码是按帽口的周长计算的,以厘米为单位,比如58号表示帽口的周长为58厘米。可用软尺量出自己头部最大部位的尺寸,再加0.5～1厘米即为帽子的尺码。

如何鉴别帽子质量

缝制帽的针迹要整齐、清晰、不脱线、无污渍。针织帽要无跳针、断线、漏针等现象。草编帽的草色应均匀,帽体有弹性。麻编帽的编织应整齐均匀,表面无接头,捏陷后能迅速恢复原状。

如何巧选羽绒服

◆含绒量

选含绒量多的为好。可将羽绒服放在案子上拍打,蓬松度越高说明绒质越好,含绒量也越多。

◆看绒色

羽绒有纯白绒和灰绒两种,浅色面料的羽绒服应选内装纯白绒的。

◆看面料

表面有一层蜡质的面料耐热性强,但耐磨性差。仿绒尼龙绸面料耐磨耐穿,但怕烫怕晒。

◆看做工

要看缝合处是否结实,有无漏绒现象。拉锁、铜扣是否完整、顺畅。羽绒服里、面是否平伏等。

牛仔裤质量鉴定法

◆染色

优质牛仔裤用蓝靛染料染成,呈深蓝色,石磨后有鲜艳明亮感,色泽均匀,袋布无明显沾色、折边处被磨白,平面处不应有"磨花"痕迹。

◆手感

优质牛仔裤经水洗石磨后手感柔软,布面丰满,绒感显著。

◆配件

必须用防开口拉链,并有定位钉;金属钩、纽扣、标牌应完好无损,反面应垫衬防止崩裂损坏的布块。

羊毛衫质量鉴定的技巧

用手指将羊毛衫轻轻拉开,毛线均匀无断头、色泽和谐无色差、织物紧密无漏针、手感柔软有弹性的为上品。光泽灰暗、外观粗糙、手感僵硬的是劣晶。

夏季T恤的选择

要比一比肩宽是否合适,袖口会不会太宽、太紧,T恤讲究的就是轻松和舒适,所以还是选择较宽松的为佳。

觉衣料鉴别法

◆棉

易燃,燃烧很快,火焰黄色,有烧破布的气味,灰末细软,呈灰白色。

◆麻

燃烧快,火焰黄色,有蓝烟,有烧枯草和纸的气味,灰烬呈灰色或白色。

◆毛

遇火先卷缩后冒烟,有烧头发的臭味,离火燃烧停止,灰烬黑褐色块状,稍压即成细末。

◆粘胶

比棉燃烧快,火焰黄色,有烧纸的气味,灰烬呈深灰色或浅灰色,量极少。

◆丝绸

真丝服饰有珍珠般天然光泽,明亮而柔和。手感光滑柔软,一抓即有皱纹。真丝纤维在火中缓缓燃烧,有毛发臭味,离开火焰时会继续燃烧,灰烬是黑褐色小球,一捻即碎。

识别假皮革的技巧

常见的假皮革有人造革、合成革、再生革等。人造革是在布基上涂一层涂饰料,从截面能观察到布基的布丝头。合成革是用化工原料经化学处理而成,燃烧时有特殊气味。再生革是将皮革的下角料进行磨研压制而成,烧起来也有

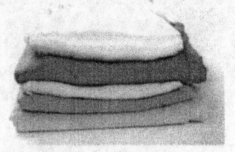

◎ 保暖外套、闪亮衣饰、白衬衫,再搭配合适衣饰,样式便可千变万化。

真皮的焦味,但即使压花的也造不出真皮表面那种深度的毛孔。

裘皮服装真假鉴定法

可拔一小撮裘皮上的毛,用火烧,人造毛会立即熔化,有烧塑料味。天然毛皮则炭化为灰烬,有烧头发味。优质裘皮毛绒挺直,毛面平齐,色泽光亮,皮料柔软,拼接条纹清晰,无光板掉毛现象。如是染色裘皮大衣,要检查有无色差和异味。

皮装选购的窍门

选购皮装时,首先确认商标、生产厂家、样式、颜色、大小,然后再看各部位的皮面是否粗细接近,颜色是否均匀一致,有无明显伤残、脱色、掉浆,最后看做工、缝制是否精细。质量好的皮革服装,针码大小应均匀一致,线缝正直,接缝平整,领兜、拉锁应对称平展自然,手感丰满柔软有一定的弹性,表面滑爽细腻,有丝绸感。

男士西装的选购窍门

男士西装的衣长要与手的虎口平,袖长要与手腕齐,肩阔与上臂平,胸围以

能内加一件羊毛衫为宜。开衩、西装脖领的宽窄依个人爱好而定。

男士要有几套西装

职场男士应该多配几套西装。一般来说,黑色、藏蓝色西装显得庄重。体形较胖者宜穿竖条的深、冷色调西装,身高体瘦者宜选浅色格子西装,也可结合肤色来选择,以雅致柔和的棕色、驼色、米色、灰色等中间色为宜。

女性的衣橱必备

每个季节至少要有两套衣服。要有一件精良材质的保暖外套,2~3件轻薄的毛衣或衬衫。要有一件适合在晚宴或 Pany 上穿的闪亮的衣饰。一定要有一件品质精良的白衬衫,可令你的衣饰千变万化。寻找适合自己肤色的色彩,重视配饰。

为宝宝巧先衣服

幼儿身体的特点是脑袋大,颈脖短,腹部圆滚突出,活泼好动,因此衣服口尺寸要大些。到幼儿后期,宝宝有了色感和审美能力,衣服宜鲜艳别致。为了便于孩子学会自己穿脱,上下装可选组合式,开口放在前面。

胸罩选购法

◆面料

胸罩要选择柔软透气、承托力好的布料,一般以薄棉布为宜。

◆规格

胸罩的大小要根据胸围与乳房来选择,太宽太松的胸罩没有承托力,起不到固定的作用。而太紧太小则会影响乳房的正常发育。

◆肩带

胸罩肩带的宽度以 1.5 ~ 2 厘米为宜，不宜过分细窄，以防勒伤皮肤。

巧先孕妇装

选购孕妇装时，上装可以参照少打褶，多斜裁，腰身松的原则。斜裁的宽摆上衣可以遮盖凸起的腹部，产后也可以日常穿用，看上去舒适而浪漫。

裤装的裤腿以合身的松紧度为好，大腿和腰部应该比较宽松。裙装可选用倒梯形的贴体式长裙，再套上宽松的外衣，几乎不露痕迹。产后可以把腰部收

◎ 颜色鲜艳的衣服，宝宝会更加喜爱。
此外，还可以培养宝宝的审美能力。

褶，成为郁金香式裙。

怀孕期间怎么先鞋

怀孕期间，孕妈妈脚踝会有些水肿，这时最好放弃细高跟鞋，选择有一定弹性和厚度的平底鞋或矮坡跟鞋，号码要比平时稍大一点。

皮鞋质量鉴定法

皮质鞋底的表面应光亮平滑，厚薄均匀，无油斑、无污点和无伤痕，手感坚

实,用手指弹,声响清脆。胶质鞋底即合成革底,表面应光滑一致,花纹整齐且边角鲜明完整,从侧面看,无厚薄不均现象,无杂质,手摸后感觉到有韧性和弹性。粘胶皮鞋不应有脱胶现象,线缝皮鞋针码不宜太密,也不宜太疏。

怎样选鞋能让你看起来更高挑

选择颜色比肤色稍微暗一些的鞋,会显得腿长个子高挑。发亮的料子、蝴蝶结的装饰、搭扣或跳跃的颜色,这些都容易使腿看起来更短。鞋尖和鞋面的颜色对比很鲜明,使脚看起来更小更秀气。

什么时间去购鞋最好

最好在下午3~6点选鞋,来回走几步,感觉鞋的稳定性与大小。两只脚都要试,按照稍大的那只脚选鞋。在冬天买夏天的鞋时,合适的尺码跟夏天比可能稍小一点。

围巾选购法

深色服装宜配鲜艳围巾,浅色服装可配素雅围巾,红色毛衣宜选黑色纱巾,藏青色服装可配纯白围巾。彩色丝巾中有一色与服装颜色相近,一般即可相配。颀长窈窕、但胸围偏小的女性,可配有蓬松感的大花围巾。溜肩男子可用素色加长围巾悬系颈部,使体形更显协调。

腰带选用法

宽腰带适宜少女、少妇,将柔美的腰肢展现得恰到好处。年龄稍大或体形丰满的女性,用窄而款式简单的腰带可使腰身不至于过分显眼。至于花形繁复、色彩亮丽的衣裙,则宜佩戴单色的、款式简洁的腰带,以体现繁中有简的着装效果。

饰品如何选购

选购饰品,除了要挑选适合自己体态风格的款式,还要检查饰品整体是否完好,外观有无可辨的缺陷、瑕疵,表面处理是否细致,有无划伤或质变,链条的部位接合是否结实,活动是否灵活等各个方面。

如果买的是耳环或胸针,要注意插针的部位是否牢靠,更要亲自试戴,看戴起来的感觉是否舒适,重心及设计是否合适。如果做工精细,戴起来又舒服漂亮,便是值得你投资的美丽伴侣。

黄金饰品标记怎么看

根据国家标准法的规定,一般黄金成色只要是在 99.5% 以上,即可称为足金或 24K 金;成色为 99.9% 的黄金,即为 999 纯金。目前纯度最高的达 99.99%,即是 9999 千足金。

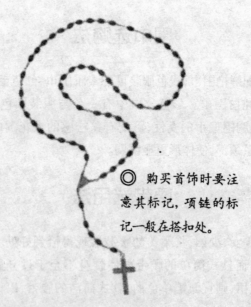

◎ 购买首饰时要注意其标记,项链的标记一般在搭扣处。

K 金是指金含量从 8K 到 24K 的贵金属首饰。

彩金首饰标记怎么看

彩金就是在黄金中配以各种其他金属如:铝、银、镉、钯等,使首饰呈现出紫红、粉红、蓝、绿、灰等颜色。彩金是 K 金,如我们通常所见的 18K 白金,人们往往会认为它是铂金的一种,其实 18K 白金为含金75%、含银 10%、含锌 10%、含镍 5%的白色黄金,港澳也称"大成 K 白金"或"33 千金"。

铂金首饰标记怎么看

足铂金:铂含量千分数不小于 990,打"足铂"或"PT990"标记。950 铂金:铂含量千分数不小于 950,打"铂 950"或"PT950"标记。900 铂金:铂含量千分数不小于 900,打"铂 900"或"PT900"标记。850 铂金:铂含量千分数不小于 850,打"铂 850"或"PF850"标记。

如何识别真假铂金

铂金与白色 K 金的区别主要是看首饰上的标记,其中戒指会标在内圈,而项链则标在搭扣处。含铂 990‰ 以上的铂金首饰,一般打有"足铂"印记。而"P950"标记即表示是成色 950‰ 的铂金。白色 K 金要标明 K 数。K 就是指黄金含量,比如标有 18K 白、750G、750 金字样的都是表示黄金含量为 18K 的白色 K 金。而铂金首饰的纯度不用"K"表示。市场上销售的白色 K 金、K 白金首饰均不是铂金首饰。

白银首饰标记怎么看

足银:含银量千分数不小于 990,打"足银"标记或按实际含量打标记。925 银:含银量千分数不小于 925,打"银 925"或"S925"标记。

925 纯银饰品含银量为 92.5%,其余 7.5%的是铜,这些铜让银的光泽、亮度和硬度都有所改善。目前市面上的银饰都以 925 作为鉴定是否为纯银的标准。925 银具有一定的硬度,能够镶嵌宝石,做成中高档首饰。

真假珍珠的鉴别

淡水养珠为无核养珠,很难达到完美的滚圆形。海水养珠为有核养珠,形状为滚圆,其大小因核和养殖时间而异,养殖时间越长,光泽越好。如果是真珍

◎ 戒指的标记标在内圈。注意,铂金的纯度不用 "K" 表示。

珠,当你用牙齿轻咬时会有沙感,而仿珍珠却具有滑感。

如何区分蓝宝石与合成蓝色宝石

合成蓝宝石颜色均一,内部洁净,包裹体单一稀少,可见圆形气泡。将蓝宝石放在白纸上或放入白杯子中的水里观察,合成蓝宝石色带多呈弧形,而天然蓝宝石生长线或色带平直。

如何用铅笔鉴别钻石的真假

先把钻石用水湿润,然后再用铅笔轻轻地刻画,在真钻石的晶面上,铅笔划过的地方,是不留痕迹的。而如果不是钻石,而是玻璃、水晶等材料,就会在表面留下痕迹。

和田玉的鉴别

和田玉质地十分细腻,光洁滋润,颜色均一,柔和如脂,具有一种特殊的光

泽,这种美显得十分高雅。而且,和田玉的玉质非常坚韧,抗压能力可以超过钢铁。主要可以分为:白玉、青玉和青白玉、碧玉、黑玉、黄玉等。

真假翡翠的鉴别

翠绿色、透明度很好、颜色均匀、无隙者极昂贵。透明度不好,行话称之为"水头不好"或"干"。绿色不正,发灰发暗也不是上品。仔细观察并转动翡翠,若能见到闪亮小片,行话称为"翠性",一般可以判断是天然翡翠。

真假水晶石的鉴别

天然水晶对着光源可以看到淡淡的、均匀细小的横纹或柳絮状纹理,而合成水晶或石英玻璃则看不到这样的纹理,只能看到旋涡状或弧形的纹理。

玛瑙项链选购常识

选玛瑙项链时,须注意珠子颜色的深浅要一致,没有杂色,珠子的大小搭配要适当,还要注意光洁度要好。然后把项链提起来看看是否垂直,每个珠子是否都垂在一条线上,如果项链出现弯曲,这说明有的珠子的眼儿偏了,加工工艺粗糙。

纯把饰品的弱点

纯钯容易氧化变黑,影响饰品的佩戴质量,因为纯钯具有亲硫性,在与空气接触中,容易形成硫化钯(PdS),而使颜色变黑。目前市场上出售的钯金产品多为纯钯,变黑后的钯金饰品很难像铂金、黄金饰品那样进行清洗还原。钯金首饰的制作工艺甚至超过铂金,工艺难关是20世纪90年代末才攻克的。消费者最好选择在国际钯金协会指定的经销商处购买。

化妆品质量巧辨别

鉴别化妆品质量优劣,首先看颜色的变化。如营养类、美容类等化妆品颜色较淡,一般没有深色的。如发现颜色变深或间隔有深色斑点,就可能是变质所致。

看是否有气体产生,因为化妆品中有微生物产生可使膏体膨胀,严重时微生物产生的气体甚至可以冲出化妆品的瓶盖而外溢,这种情况说明变质已经十分严重。

化妆品中一般都含有淀粉、蛋白质和脂肪,微生物会产生各种各样的酶类,酶的作用会使化妆品中的淀粉、蛋白质和脂肪分解,破坏其乳化性。因此膏体稀薄与否也是鉴别化妆品是否变质的一种方法。

在液体化妆品中,微生物会使化妆品混浊不清。混浊说明化妆品中的微生物已达到相当的数量,有的霉菌生长在液体化妆品中出现丝状、絮状悬浮物,有的甚至出现成团现象。

◎ 优质的唇膏无不良气味,色彩鲜亮,膏体牢固端正,细腻光滑,接触嘴唇后易溶解,附着力较强,可保持较长时间。否则为劣质唇膏。

厨事窍门

选购

3 招选好大米

◎ 好大米摸起来润滑凉爽，捏几粒慢慢撒落还会发出轻微的"啪啪"响声。

◆一看

好大米从外表上看色泽清白、有光泽、呈半透明状，米粒大小均匀而丰满，且没有杂质。而劣质大米颜色有点发黄，大小不均，碎米也多，甚至还带有壳粒和结块。如果你购买整袋包装的大米，要检查包装上有无"QS"质量安全标志，如果没有就不要购买。

◆二闻

取一捧大米,闻一闻,如果闻到一股淡淡的清香味,说明这就是好大米。

◆三摸

用手摸大米,如果有凉爽感,说明是新米;而如果是涩涩的感觉,则是陈米。要是用手捻一下,变成粉状了,那就是严重变质的大米,绝对不能买。

染色小米遇水现形

新鲜的小米色泽均匀,呈金黄色,带有光泽感,用水清洗时,水不会发黄。而染过色的小米,色泽深黄,缺乏光泽,闻一下还有染色素的气味,用水清洗时,水色会发黄。

真个黑米巧分辨

优质黑米有光泽,米粒大小均匀,无虫,不含杂质,很少有碎米或米粒上有裂纹。次质、劣质黑米的色泽暗淡,米粒大小不均,饱满度差,碎米多。

优质黑米还具有正常的清香味,可取少量黑米放入口中细嚼,或磨碎后品尝,优质黑米味佳、微甜,无其他异味。

选豆类越沉越好

在购买大豆、红小豆、绿豆、黑豆这些豆类的时候,有一个统一的挑选原则,就是用手掂量,要有沉甸甸的感觉,而且要选豆粒质地坚硬、饱满均匀,颜色润泽光亮的。

面粉手感过于光滑的不好

优质面粉,从外观看色泽白净、粉粒均匀。要注意的是,如果色泽过于亮白,很有可能添加了增白剂。面粉的质感是细腻光滑的,但是过分光滑就不是好面粉了,真正好品质的面粉手感是绵软的。

玉米老嫩掐出来

我们吃煮玉米时通常不喜欢太嫩的,太嫩的吃起来皮较多,没有嚼头,而太老的又嚼不动 。所以,买玉米时要选既不太老又不太嫩的,剥开皮用手掐一下,感觉软硬适中的就可以。

另外,要挑选个大、玉米粒饱满、排列紧密的玉米。

巧辨真假木耳

市场上常常出现掺假的木耳,假木耳没有任何营养价值。以下几点帮你辨别真假木耳。

优质木耳卷曲紧缩,叶薄且没有完整轮廓。掺假木耳形态膨胀,显得肥厚,少卷曲并且边缘较为完整。好的木耳坚挺,有韧劲儿,用手不易捏碎。掺假木耳较脆,用手稍掰易碎,放在口中也容易变软。优质木耳放入嘴里嚼时,有浑厚鲜味儿,而掺假木耳则有甜味儿。

一看二握选山药

◆一看外观

新鲜山药表面光滑,毛须整齐,表皮呈土褐色。

◆二用手握

用手握住山药停留一会儿,天气冷的话握得时间长一些,把手松开后,新鲜山药表皮有温热感,如果山药表皮会渗出水来,说明这是被冻过的不新鲜的山药。

巧选优质腐竹

辨别腐竹质量的优劣,不仅要看干品的外观,还要看用水泡发后的质量。用温水浸泡腐竹10分钟,质量好的腐竹其水色黄而不混浊、有弹性、没有硬结现象,并且会散发出豆类的清香味儿。优质腐竹呈浅麦黄色,有光泽感,横截面的蜂孔均匀,外形整齐,质细并有油润感。质量稍次的呈灰黄色,光泽感稍差,外形整齐而不碎。劣质腐竹呈深黄色,没有什么光泽感,外形不整齐有断碎品。

选莲藕听声音

市场上一年四季都有藕卖,但以夏、秋季的为好,夏天的藕叫做"花香藕",秋天的藕叫做"桂花藕"。选择莲藕时要挑藕身较粗、较圆整、节短的,敲起来声音厚实的。值得注意的是,市场上卖的藕有些看起来很白,似乎很新鲜,其实是用工业酸处理过的,所以在购买时要多加小心,过于洁白而且闻着有股酸味儿

◎ 表皮微黄,里面洁白,
这样的莲藕才是新鲜的。

的就不要买了。新鲜的莲藕表皮是微微发黄的,断口的地方闻着会有一股清香。

选胡萝卜"心"要小

选购胡萝卜时要选心部直径小的,肉厚、短短的胡萝卜。因为胡萝卜素的含量因部位不同而有所差别,外层皮质中胡萝卜素的含量比中央黄心处的要多,所以胡萝卜的心越细小越好。同时还要看外表,要选色泽鲜嫩、匀称直溜的。

好苦瓜看皱纹

苦瓜是"君子菜",因为用苦瓜与其他菜一起炒时,其他菜不会沾上苦味。苦瓜所含的维生素 C 十分丰富,而且还有清热解毒的功效。它含有的脂蛋白,可提高人体免疫力,预防癌症。

选购苦瓜时,应该选择瓜体嫩绿,表面皱纹较深的。皱纹越深瓜肉越肥厚,

◎　　小线椒个头最小, 辣味却最强。在小线椒中, 一般红色辣椒要比绿的辣。

且表面掐上去有水分。

选择人参注意哪几方面

◆从产地、生长期来看

野生的人参比栽培的人参功效要好,生长期长的比生长期短的疗效强。野山参、朝鲜参补力最强,红参、白参、大力参、生晒参稍差一些,参条、参尾又次一等,参须、糖参最弱。

◆从根部生长的情况看

根部的分量重、根节多、粗大、均匀、无虫蛀的,才是好人参。朝鲜参、吉林红参、日本红参等偏热,这些参适用于老年人、失血过多者以及术后需调补者。吉林野山参、糖参等性平和,偏阳虚、阴虚者和元气不足或虚弱的人均可服用。而生晒参、皮尾参、白参等则偏凉,适用于舌质偏红、口干咽燥、头晕耳鸣、便秘等阴虚火旺体质者服食。

怎样选辣椒

辣椒的品种很多,从食味上可以分为辣、甜、辣中甜三类。辣椒类,果形较小,其中北方六七月上市的皮色青黄的包子椒,辣味较强,八九月上市的长尖圆形、紫红色的小线椒(有的称朝天椒),辣味最强。甜椒类,果形大,似灯笼,故称为灯笼椒或柿子椒,滋味发甜,果形呈扁柿形,肉厚。

选圆白菜看头型

圆白菜就是我们说的洋白菜,有平头型、圆头型和尖头型三种,其中平头型、圆头型的比较好。选择时应选菜球紧实而肥嫩的,用手按摸感觉硬实而不松软,同重量的圆白菜,要选择体积小的。

丝瓜选购有窍门

常见的丝瓜有两种,胖丝瓜和线丝瓜。胖丝瓜相对较短,两端大致粗细一样,应该挑选皮色新鲜,表面有些细皱,并且附有一层白色绒状物的。线丝瓜细而长,要选择瓜形挺直,大小适中,表面没有褶皱,水嫩饱满,皮色翠绿的。

根据品味选芹菜

我们在市场上一般能看到两种芹菜。一种是水芹,身材瘦小、呈淡绿色,这种芹菜香味淡。另一种是香芹,高大健壮、颜色较深、香味较浓。喜欢芹菜味淡的,可以挑水芹,而喜欢香味浓的就选香芹。

好菜花冠要齐

菜花又叫花菜,多吃菜花有抗癌功效。挑选时应选择花冠坚实又整齐的,花蕾要紧密,花枝比较短,花柱细嫩的为好。菜花能够防癌,尤其是在防治胃癌、乳腺癌方面效果更佳。菜花的维生素 C 含量极高,不但有利于人的生长发育,还能提高人体免疫功能。

选冬瓜要有霜

挑冬瓜要选择瓜身周正、有白霜,皮硬坚挺、肉厚,没有畸形的为好。

买豆芽先闻再看

用化肥催发过的豆芽长得快、不发须根,而且有股难闻的氨水味儿。在选购豆芽时,要先抓一把闻闻有没有氨水味儿,再看看有没有须根,如果有氨味并且无须根,就不要购买。

鲜嫩的莴笋看笋茎

莴笋又叫莴苣,笋茎表面嫩绿、皮薄,有的带些浅紫红色。挑选时应选择茎粗大,中下部呈棒状,无黄叶的。

西红柿顶"尖儿"不能选

市场上常常能看到顶上有尖儿的西红柿,有的甚至在大西红柿上多长了一个小西红柿,这可不是买一赠一,有这些特点的都是打过催熟剂的。应当挑选个头适中,颜色自然的西红柿。

◎ 西红柿顶"尖儿"是催熟剂诱发的,其营养和口感都会大打折扣。

识别羊肉老嫩看颜色

老羊肉的颜色深红、较暗,肉质较粗,纹理深。嫩羊肉颜色浅红,看上去比较鲜嫩,纹理细小,且富有弹性。

选牛肉先看再按

新鲜的牛肉有光泽感,红色均匀,脂肪洁白或淡黄,外表微微发干或有风干膜,不粘手,并且弹性好。变质肉的外表要么粘手要么就极度干燥,用手指按一下,凹陷不能回复,留有明显的压痕。

3招鉴别注水鸭

◆一看

如果发现鸭子的皮上有红色针点,周围呈乌黑色,说明这只鸭子被注过水了。

◆二拍

注水鸭的肉富有弹性,用手一拍,会发出"波波"的声音。

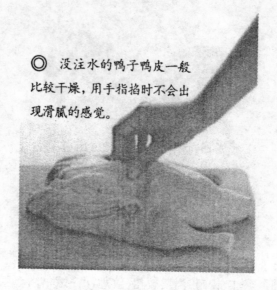

◎ 没注水的鸭子鸭皮一般比较干燥，用手指掐时不会出现滑腻的感觉。

◆三掐

用手指再掐一下鸭子皮，若感到打滑，那就是注了水的鸭子。

巧选咸鸭蛋

◆看一看

好的咸鸭蛋外壳干净、光滑圆润，没有裂缝，蛋壳呈青色。质量较差的咸鸭蛋外壳灰暗，有白色或黑色的斑点，这种咸鸭蛋容易碰碎，保质期也相对较短。

◆摇一摇

轻摇蛋体，质量好的咸鸭蛋会有轻微的颤动感，如果感觉不对并带有异响，说明鸭蛋已经变质。

挑鲜鱼掀鱼鳃

挑鱼时掀开鱼鳃看是不是鲜红色,鳃的颜色越鲜红表示越新鲜,颜色越暗沉,表示死掉的时间越久。

鲜河虾这样选

新鲜的河虾虾体应该呈青灰色,透明且有光泽,肌肉青白,头身紧密连接。如果虾壳发红,头身破碎,就不要买了。

挑牡蛎看颜色

牡蛎又叫海蛎子,长在海边的岩石上。质量好的牡蛎体大而肥实,颜色呈淡黄,个体均匀、干燥。而那些颜色褐红,个体不均匀,并且有潮湿感的牡蛎质量就比较差。

选海蜇"片"越大越好

海蜇是由水母加工而成的。在选海蜇皮时,要挑片儿大、色白、肉质透明结实,没有红皮和泥沙、杂质的。

"五看"选肥蟹

一看个体,个体要大而老健;二看颜色,青背白肚、金爪黄毛;三看眼睛,眼睛灵活,动作敏捷活跃;四看肚脐,肚脐要向外凸出;五看蟹毛,蟹脚上要蟹毛丛生。

公蟹母蟹要分清

公蟹尖脐,发白,在手里有沉甸甸压手的感觉。母蟹团脐,一定要挑黄色的,颜色越深越好。

巧选鲜猪肉

◆ 用手摁

用手指摁压一下,摁下的小窝儿能迅速复原是新鲜猪肉。如不能完全恢复的就是次质或变质猪肉。

◆ 看外观

鲜肉的切面看上去微微发干,有光泽感,红色均匀,脂肪洁白、柔软而富有弹性。而质量次的猪肉,表面有一层风干的灰暗色外膜,脂肪没有光泽、肉色红白不分明。

◆ 闻气味

鲜肉有正常的鲜腥肉味,而质次的肉有股酸霉、腐败味和其他异味。

选购新鲜内脏有窍门

新鲜的肝呈褐色或紫色,并且有光泽。不新鲜的肝,颜色暗淡,没有光泽,肝面萎缩、发软,带有臭味。

新鲜的肚色泽浅黄、有光泽,质地坚实、富有弹性,黏液也多。不新鲜的肚,颜色变白发青,肉质变松,没有弹性和光泽,且黏液少。

新鲜的腰呈浅红色,表面有一层薄膜,有光泽,柔润、有弹性。不新鲜的腰,带有青色,质地松软,并有异味。

新鲜的肠色泽发白,黏液多。不新鲜的肠,色泽有青有白,黏液少,腐臭味重。

新鲜的心组织坚实,富有弹性,用手挤压有鲜红的血液、血块排出。

好虾皮用手抓抓看

用手抓起一把虾皮,用力紧握松开后,虾皮能自动散开说明是好虾皮。另外,好虾皮外壳呈黄色或淡黄褐色,干净而形体完整,虾眼齐全。

选肉松看成分

买肉松时,要看一下产品包装的配料表,如果配料表中列出了淀粉,则产品为肉粉松,肉粉松的蛋白质等营养成分相对肉松的要少些。

储存

冬笋存放有妙招

◆储存

将冬笋去壳切成两半后放入蒸锅中蒸熟,然后捞起摊开、风干。此法可保鲜 1～2 周。

◆封藏

将冬笋装入双层不透气的塑料薄膜袋内,把口扎紧;也可以放在塑料桶内封口后放在阴凉通风处,可保鲜 25 天左右。

◆沙藏

在箱内先铺一层较湿的黄沙(不沾手为宜),然后将好的笋尖头朝上排列在箱内,再用黄沙将笋埋起来(厚度为 5 ~ 6 厘米),拍实后置阴凉通风处,这样做可保存 40 天左右。

大米防虫 3 招

一是在大米里放少量干海带,可以吸湿,防止其生虫发霉。海带用一段时间后会变湿,晾干后可再次使用。

二是把油桶或可乐瓶洗净晾干,将大米装在里面,盖好盖子,这样既防虫取米又方便。

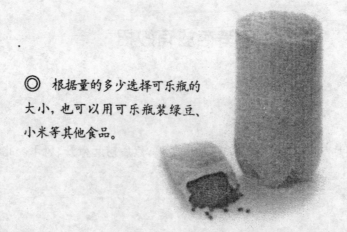

◎ 根据量的多少选择可乐瓶的大小,也可以用可乐瓶装绿豆、小米等其他食品。

三是用纱布包一些新花椒,放进米桶里也能起到防虫的作用。

巧存红薯

红薯很怕冷，温度过低就可能冻坏，形成硬心而蒸不熟。如果温度长期比较高，又会生碱。因此，要把红薯存放在常温、干燥的环境中，存放前最好在阳光下晾晒一会儿，以去除湿气。

白酒、大蒜可防豆类生虫

在存放豆子的密闭容器中放入几瓣大蒜，可以使豆子在短期内不生虫。把豆子装入容器中，喷洒少许白酒，搅拌均匀，然后把口盖严，也可以防止豆子生虫。

怎样长时间保存花生

花生在太阳下晒 2～3 天，晾干后，用塑料食品袋装好，扎紧封口，放置在冰

◎ 白菜最外面的叶子往往被扔掉，用它来保存韭菜等叶菜类蔬菜，可以起到很好的保鲜作用。

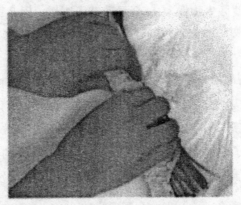

箱冷藏室内，可以保存很长时间。随吃随取随加工，味道如同新花生米一般。

韭菜保鲜让白菜帮忙

保存叶菜类的蔬菜最重要的是保留水分,同时又要避免叶片腐烂。

买回来的韭菜,如果一次吃不完,可以把韭菜捆好,再用新鲜的白菜叶包住,放在阴凉的地方,能保存 3～5 天。蒜黄也可以用这种方法来保存。

怎样防止萝卜"糠心"

萝卜在生长过程中,把大量养分储藏在直根部位,留待春天抽薹开花用。春天萝卜一发芽就耗用了这些养分,这时萝卜纤维素增多,肉质疏松变为棉絮状态,就是人们所说的干糠、糠心或空心。萝卜生长条件不好,如气温过高、天气干燥等,也会使其缺水、干糠。因此,保存萝卜的地方不要过于干燥,不要暴晒,不要使其发芽。购买时不要买发了芽的萝卜,买回后要放在有一定湿度的地方,这样就能防止萝卜糠心。

茄子为什么容易腐烂和"生锈"

茄子表面有一层蜡质,可以起到保护作用,但是一旦沾了水,洗刷掉表皮蜡质或者碰破外皮,使微生物侵入,就会导致茄子腐烂。因此,不要买淋过雨水或碰破外皮的茄子,要轻拿轻放,以免碰破。做菜时要现洗现做,洗了不做,茄子也会烂掉。

茄子内部含有单宁物质,很容易氧化,导致茄子表面变成褐色或黑色,俗称"生锈"。新鲜茄子在表面蜡质的保护下,单宁物质不会氧化褐变,只有在蜡质层被破坏后才"生锈"。

因此,保护茄子表面蜡质是防止茄子腐烂和"生锈"的最好方法。除了茄子,其他含单宁物质的蔬菜,如菜花、芹菜等,保管不善也会发生"生锈"现象。

存放鸡蛋能不能用水洗

存放鸡蛋不能用水洗,否则会使鸡蛋坏得更陕。鸡蛋的外表看上去很光滑,其实表面布满了人眼看不见的小洞,有一层胶状物质封住这些小洞,使细菌不能入侵。如果用水清洗鸡蛋外壳,这层胶状物质就会溶解在水中,蛋壳小洞全部暴露,不但加快了水分蒸发,而且外界细菌和微生物可以从小洞进入,使鸡蛋很快变质。所以,买来的鸡蛋蛋壳脏些也不要洗,这样可以使鸡蛋多存放几天。

保存大蒜好方法

可以先剥去大蒜外皮,再放入广口瓶中,用色拉油浸泡,放置在阴凉的地方。这样,大蒜不但不会发芽,而且做菜的时候,还可直接从瓶里拿出使用,不用再放色拉油。

残叶留住白菜水分

买白菜时,要保留白菜外面的部分残叶,这些残叶就是一层"保护膜",可以留住白菜里面的水分,所以在储存白菜时即便发现有干叶,也不要轻易除去。不要用塑料膜包裹白菜,这样容易加速白菜腐烂,只要码放在阴凉通风的地方,过一段时间上下倒一回就可以,使这些白菜能"呼吸"顺畅。

西红柿保存 1 个月的窍门

在挑选西红柿时要挑品质好的,五六成熟的。买回家后放入塑料食品袋内,扎紧口,放在阴凉处,每天打开袋口 1 次,通风换气 5 分钟左右。如果塑料袋内附有水蒸气,就要用毛巾擦干,然后再扎紧口,这样可以保存 1 个月都不腐烂。

萝卜帮香菜保鲜

保鲜香菜可以让萝卜来帮忙。把香菜装入保鲜袋内,同时放进 1 小块新鲜的萝卜,胡萝卜、白萝卜都可以,然后将保鲜袋扎紧放入冰箱冷藏室。

榨菜巧存放色香味不变

选取一个大口瓶洗净晾干,将榨菜放入其中,然后将两片 1 毫米厚、10 毫米宽比瓶口直径稍长的竹片交叉放入瓶口,防止榨菜松动。再取一只口径大于此瓶口 4 厘米以上的碟子,注入半碟清水,把瓶子倒立于碟子上。这样瓶内榨菜无法与空气接触就能防霉。

食用时取出竹片,食用后仍照原样放好,可存放 2 个月,色、香、味不变。

保鲜芹菜有两招

把芹菜叶去掉,用清水洗净后切成大段,放入干净的保鲜袋中,封好袋口,放入冰箱冷藏室,可以随吃随取。

芹菜一次吃不完,可以把剩下的芹菜捆好,用保鲜袋或保鲜膜将茎叶部分包严,然后根部朝下竖直放入清水中,水没过芹菜根部 5 厘米就好,这样可以让

◎　保鲜袋可以防止蔬菜中水分的流失,蔬菜装入保鲜袋内放冰箱保存,还可以防止串味。

芹菜一周内不黄不蔫。

保存豆腐盐水泡

在碗里倒一些开水,待冷却后,把豆腐浸入,加入适量的食盐,以全部浸没

为准。这样即使在夏天也能保存较长时间。用盐水泡过的豆腐,在烹制的时候就要少加盐了。

鲜姜巧保存

家里的姜很多,要长期存放,可以洗干净后晾干,放入罐子里,用盐铺底。或者把姜皮去掉,倒人一点白酒或黄酒密封好。泡过姜的酒不要扔掉,还能继续饮用。

板栗冷藏更持久

可以先用盐水将板栗浸泡3~5分钟,以杀菌消毒。然后用清水冲洗,晾晒1~2天,就可以用塑料袋装好,放进冰箱里冷藏。这样,板栗可以存放1个多月。

冬瓜上的白霜起保护作用

冬瓜一般怕热、怕潮、怕碰伤,特别是冬瓜上的白霜,碰掉了就很难保存。成熟的冬瓜皮面都挂一层白霜,起着防止外界微生物侵害和减少瓜肉水分蒸发的作用,如果碰掉了,很快就会引起冬瓜腐烂。所以买冬瓜时,应该一手提瓜柄,一手托瓜底,轻拿轻放,以免碰掉白霜,并将冬瓜放在干燥的地方,这样可以保存较长时间。

土豆不发芽的小窍门

土豆发芽是一种生理现象,可以利用低温、干燥等条件抑制和延缓其发芽。在保存土豆时,不给其发芽的温度、湿度,就可以适当延长土豆的保存期。具体方法就是,在保存土豆时把它装入草袋、麻袋内。或装入垫纸的筐中,上面撒一层干燥的沙土,放在阴凉、干燥处,这样就能延缓土豆发芽。

土豆皮不变绿的小窍门

土豆受日光照射,皮会变绿,产生有毒的龙葵素。吃了表皮变绿的土豆,轻者感到发涩发麻,口感不好,重者会引起食物中毒。所以,土豆应避光保存,特别要防日晒。如果保存不当,发现土豆表皮部分变绿了,可以把这一部分削去,如果变绿严重,就要把整个土豆扔掉,不能再食用。

豆类的长期保存

在存放前可以将豆类倒入网篮中,连篮带豆浸泡在沸水中,快速搅拌半分钟,以杀死表面的虫子和虫卵,然后立即倒入冰水里冷却,再将豆子放在阳光下暴晒使其干透,装入罐内,在表面放几瓣大蒜。经过这样处理的豆子,可保存至少半年。

鸡蛋巧保存

在冰箱中保存鸡蛋,应注意冰箱里的湿度。一般来说,保存在开关频繁的家庭用冰箱内,以夏天 2 周、冬天 1 个月为宜。若不慎弄裂蛋壳,最好冷冻保存,但蛋黄不适合直接冷冻,所以要将蛋清和蛋黄搅拌均匀后再冷冻。

保存鲜肉的窍门

把鲜猪肉放在 0.5% 的醋酸钠水溶液中浸泡,pH 值保持在 7.6,能保存两天。新鲜牛肉放入 1% 的醋酸钠水溶液中,浸泡 1 小时左右,使牛肉 pH 值为 8.0,取出后放入洁净的容器内,可保存 3 天。配制含有 5% 醋酸钠、1% 盐的水溶液,并将该溶液喷在鸡肉上,或将鸡肉浸泡在溶液中,能使鸡肉保鲜 5 天。

保存月饼莫密封

月饼含油脂较多,不宜放在密封容器里保存,应该置于阴凉通风处,要注意遮光,以防油脂氧化变质。月饼分软馅、硬馅两种,软馅含水分较多,一般只能保存 5 ~ 7 天,时间一长就容易变质,而硬馅则可以保存 1 个月左右。所以,吃月饼时,最好是先吃软的,后吃硬的。百果、火腿、五仁等属于硬馅月饼,软馅的月饼有莲蓉、豆沙馅等。

怎样保存黄酒

黄酒的包装容器以陶坛和泥头封口为最佳,黄酒适宜在凉爽、温度变化不大的环境中保存,可在黄酒中放几颗红枣或黑枣,能使酒味不酸且更香。黄酒周围不宜同时存放异味物品。

保存糖的窍门

买回来的糖,应盛放在干净的玻璃或陶瓷罐中,加盖密封,放在干燥、通风、阴凉处。

受潮融化的糖,应及时吃掉,继续存放易变质或生霉,产生异味。

食糖多呈细沙状,对气体有吸附作用。因此糖不宜与卷烟、调味品、腌腊制品、煤油、化妆品等气味较强烈的物品储存在一起。

◎　采用玻璃罐存放食糖不仅密封性好,干燥、防潮,而且不用开盖就能观察到里面的糖是否有变质的现象。

烹饪

陈米也能煮香

只要把米淘净后浸泡一会儿,然后在开始煮之前加一点食用油和盐,煮出来的米饭就会松软香甜了。

蒸面食抹油省去屉布

在家蒸面食,按常理会在锅屉上铺一层屉布,然后将馒头、包子之类的面食码放好,但蒸好后屉布上会粘许多面食残渣,难以清洗。如果在面食上锅蒸之前,在锅屉上面均匀涂抹一层花生油,再直接把面食放上去蒸,蒸熟的面食就不会粘在锅屉上,也省去了屉布。

米中沙粒巧去除

◆盆筛除沙法

取两个盆,其中一个盆装有淘洗好的米和适量的水。把盛有米和水的盆端起,缓缓倒入空盆,边倒边用手轻轻筛动,米在水中浮起,落入下面盆中,最后上面的盆中剩下沙粒和少量的米,把米挑出,沙子倒掉,把盆洗净,再重复来回几次,沙子就清除干净了。

◆小盆沉沙法

取大小两个盆,在大盆里倒入大半盆清水,将米放入小盆,将小盆浸入大盆水中。将小盆来回摇动,处于悬浮状态的米和水会不时地倾入大盆,不倒净,小盆不必提起。如此反复几次,小盆底部将只剩沙粒。

3 招煮出香米饭

如果米饭不小心烧焦了,可以切一段葱插入米饭里,葱要露出头,盖上锅盖,过一会儿,米饭就没有焦味儿了。

煮饭时,在水中加一点柠檬汁,或一片柠檬片,煮出来的米饭会更加香软洁白。

煮米饭在水中加 1 汤匙食用油,煮出来的饭软硬适中。想让米饭做出来更有营养,可以加一些燕麦,这样煮出来的饭味道更会好。

做不散的水氽丸子

当锅中的水即将沸腾时,用勺子把肉馅一个个舀进锅里,每舀一次,就把小勺蘸一次水。如水已经沸腾了,可改为小火,使其保持似开非开的状态。水沸腾时,则要靠锅边下丸子,也可防止冲散。在冬天可将几个大白菜叶放入锅中,把丸子下到菜叶上,这样可起到缓冲的作用,使丸子整而不碎,味道十分鲜美。

剩饭的妙用

剩饭除了做成粥或炒饭,还可以怎样利用呢?只要多费点工夫,即可将其做成富含钙质的米饼。将剩饭依个人喜好加入小鱼干、虾米、柴鱼或切细的腌渍物等材料,再加入鸡蛋和少许酱油。鸡蛋的量要适当,太少会使饭太干硬而做不成米饼,太多又会做成烤蛋。材料混合均匀后,将其压薄,放在已烧热油的平底锅上,两面煎熟,即成脆酥酥的营养米饼。

高压锅怎样煮米饭

做 3～5 人米饭时,加水后水层的深度恰能被一口气的气流吹透最为适宜。刚上火时用大火催开,待喷气口喷气后加安全阀计算时间并适时改用小火蒸煮,即使时间过长也不易巴锅。

用高压锅做米饭,煮熟后可直接将高压锅浸在盛有凉水的盆内,然后再去阀揭盖,你将发现蒸熟的米饭不粘锅。

做妙面火候是关键

煮面条时,要煮至断生,再用凉水过凉,拌上色拉油或香油,避免粘成一团。炒时,用旺火,搭配各种荤、素材料即可。

煮出汤清面软的面条

煮面条时,在水里加少量盐,面条不容易糊烂。若加一点食用油,还能防止面汤溢锅。煮面条时不要用大火,否则面条容易表面黏糊,内部夹生。应在锅底有小气泡时就下面条,烧沸后,加入适量冷水,等再次滚开后就煮熟了,这样煮出来的面条汤清而面软。

5 招教你煮好粥

煮粥前先将米用冷水浸泡半小时。

开水煮粥不会煳底,比用冷水更省时间。

开水下锅时搅几下,盖上锅盖小火熬 20 分钟,开始不停地搅动 10 分钟,到呈现黏稠状出锅为止。

粥底是粥底,料是料,分头煮的煮、焯的焯,最后再放一起熬煮片刻,且绝不超过 10 分钟。

改小火后约 10 分钟时,点入少许色拉油,成品粥色泽鲜亮,而且入口特别鲜滑。

红薯怎么煮更甘甜

水煮开冒热气时,马上放入红薯,使其表皮在短时间内就能煮成半熟。然后改用温火,使锅里的水不处在沸腾状态。红薯中的淀粉酶在 60℃ 左右能促进淀粉转变成糖,这样烧十多分钟后,再改用旺火,煮出的红薯就会特别香甜。

煮饺子何时加盖不粘又好吃

煮饺子要遵循"先开锅煮皮,再盖锅煮馅"的原则。开始敞开锅煮,同时饺子随着沸水不停地滚动,可以熟得均匀,皮也不易破,饺子汤也就清了。当饺子皮煮熟了之后,再将盖盖上煮馅,这样煮出的饺子可以做到既不粘又好吃。

馒头片这样炸才好吃

首先准备好半碗凉开水,加适量盐,搅匀。把馒头切成片,炸之前把馒头片用淡盐水浸一小会儿,随即放入锅内炸。这样炸出来的馒头片色泽金黄,外焦里嫩,好吃又省油。如果在淡盐水中再打入一个鸡蛋,味道会更加鲜美可口。

快速蒸馒头用醋和面

用 500 克面粉,加入 50 克醋、250 克温水,把面和好,饧 10 分钟,再加 4 克碱面,用力揉面,直到没有酸味儿为止。然后揪出合适的剂子,揉成馒头,就可以上锅蒸了。

3 招教你辨别发面的酸碱度

◆拍听法

用手拍打面团,如果发出"嘭嘭"的声音,说明酸碱度合适。如果发出"空空"的声音,说明碱放少了。如果发出"吧嗒、吧嗒"的声音,说明碱放多了。

◆尝味法

将揉好碱液的面团放入嘴中少许,如果感觉有酸味,可再放入一些碱液。如果感到一种碱涩味,说明碱放多了。如果觉得有甜味,就是碱放得合适。

◆剖看法

将面团切开,如果剖面出现有小米粒大小的孔洞,且分布均匀,说明碱合适。如果剖面孔洞大,且不均匀,面团色泽发暗,说明碱少了。如果剖面出现的孔洞小,面团色泽发黄,说明碱放多了。

和面时怎样才不粘面盆

和面时面粘在盆子上,既浪费又不容易清洗。可以在和面前先将洗净的面盆放在火上烤一会儿,待水分蒸发,有些烫手时,再用来和面。这样即使面再软也不会粘盆了。

这样煎鱼鱼皮不粘锅

热锅冷油法可以保证煎鱼时保持鱼身完整,鱼皮不粘锅。先将锅烧热,用姜片擦抹锅底,再用厚纸巾充分擦干鱼身,在鱼皮上均匀涂抹一层面粉或淀粉。放入足量的油,这样鱼皮就不会粘锅。而且要用温油慢煎,煎到鱼皮表面脆硬时才可翻面,这样煎鱼皮不仅香脆可口,而且鱼身完整。

冷冻水饺新吃法

从超市里买回的冷冻水饺,除了煮着吃外,还可以蒸着吃。待蒸锅水开后,在笼屉上摆好湿的屉布,迅速将水饺摆放在上面,用大火蒸 10 分钟,一锅蒸饺就做好啦。

如何调出浓稠适宜的油炸面糊

太稀的面糊炸出来不漂亮,太浓的面糊又不容易裹上材料。判断浓稠度是否合适的方法是,把筷子插在拌匀的面糊里,垂直拿起后,面糊成一直线地滴落,这样炸出来才会金黄酥脆。要用冷水调制面糊,加上低筋面粉及鸡蛋快速搅拌,不要搅拌过久,否则会使面粉出筋,黏性变低。

姚丝瓜加白醋不变色

炒丝瓜时很容易变黑,炒出来的样子很难看。这是因为丝瓜含糖,而且丝瓜子中含有黑色素,遇高温就容易变黑,只要在烹调时滴入少许白醋,并且不要

◎　丝瓜放入锅中要立刻滴入白醋,若丝瓜子中的黑色素已变黑,再加白醋便不能使其青绿淡爽了。

加酱油或豆瓣酱之类色泽较重的调料,炒出的丝瓜就会青绿淡爽了。

◎ 炒茄子很费油，炒之前用盐将茄子腌一下去除水分，这样炒出的茄子比较省油。

4 种方法教你炒茄子

◆浸水法

茄子去皮或切块后，肉质会由白变褐，这是氧化作用的结果。可将切好的茄子立即浸入冷水中，炒时现捞下锅，炒出来的茄子就不黑了。

◆滴柠檬汁法

炒茄子时，加入几滴柠檬汁，可使茄子肉质变白。

◆加醋法

炒茄子时，加点醋，可使炒出来的茄子不黑。

◆撒盐法

炒茄子时，先将切好的茄子撒点盐，拌匀，腌 15 分钟左右，挤去渗出的黑水，炒时不加汤，这样炒出的茄子既省油又好吃。

做出好味道的芥菠菜粉

用开水或凉水将芥末粉泼开,辣味出来后再用水稀释。将菠菜用热水焯一下,再过凉水后捞出,切成小段,放入瓷器中,加入稀释的芥末、醋、盐、香酱等调料待用。将细粉丝剪成10厘米长的段,用开水煮或焯一下,放在有调料的芥末菠菜中搅拌均匀,即可装盘食用。

白酒防止油炸花生米加潮

没有吃完的炸花生米,放一段时间后,尤其在潮湿的环境中,很容易失去酥脆感。其实只要在刚炸好的花生米中趁热淋一些白酒,搅拌均匀,凉凉后撒些盐,这样即使放一放,口感也依旧酥脆。

美味黄瓜拌出来

黄瓜不宜切得太细太薄,0.3~0.4厘米厚的片是最佳厚度。

很多人习惯把黄瓜拌上盐腌一会儿,挤去水分后加入调味品,这样做是不科学的,应该临吃前几分钟腌拌。

将切好的黄瓜加点大蒜泥,再拌上盐、味精、香油,就可以拌出美味的蒜泥黄瓜。如果把蒜泥改成姜末,就可以拌出姜汁黄瓜,放糖醋拌就是糖醋黄瓜,用红油汁拌就是红油黄瓜。同样还可以根据自己喜好拌出各种味道。

炸排骨外酥里嫩有诀窍

要想让排骨外酥里嫩,可以先用大火快炸定形,再转小火慢炸,最后再改成大火炸一下即可捞出。如果炸的过程中油温一直偏高,可以先把排骨捞出,待油温下降后再放入。

先将冻白菜放在冷水中浸泡1~1.5小时,冰融后洗净即可做菜。

◎　如果是用金属刀切山药，应在泡山药的水中加点盐，可防止其氧化变黑，这样炒出来的山药就会洁白发亮，清鲜诱人。

凉拌菜要最后放盐

想让凉拌菜做得更好吃，应该在食用之前再放盐。拌凉菜的调味顺序是先加花椒油、香油、醋等作料，食用前再放盐。因为加盐后放置一会儿，食材容易出水，不仅造成营养流失，口感也不那么清脆了。

怎样炒木樨肉不会老

木樨肉实际属于什锦菜的一种，包含多种材料，每种材料易熟度不同，若一起放入锅中拌炒，可能有些材料就已经过熟而有些材料还是生的。所以，炒木樨肉的关键就是在进行合炒之前，将某些不易熟的材料提前处理、焯烫，然后再合炒，如此炒出的木樨肉美味可口不会老。

轻松烹制滑炒肉片

在滑肉片时,一般用五成热的温油。如果想少放油,则可将油烧至八九成热,快速滑炒。选择肋条或后腿肉,切成不超过3毫米厚的肉片,放在碗里加少许酱油(不能放盐,盐会使肉变老变硬)、料酒、淀粉、鸡蛋搅拌均匀备用。将油烧热,放入拌好的肉片,用勺来回轻轻翻炒,直到肉片伸展,再将配料蔬菜等倒入锅中,炒一会儿即可。

掌握窍门牛肉轻松炖

先将切好的牛肉用凉水浸泡1小时,使肉变松。然后把牛肉放入烧开的水中煮,撇去浮在汤上面的血沫子,加一点水可以把沉在锅底的血沫子带上来,这样肉汤就会清澈鲜美。

然后放入葱段、姜片、花椒、大料,但这时不要放酱油和盐。炖牛肉一定要用小火,使汤水保持微开。这样,用汤表面的浮油起到焖的作用,锅底的火起到炖的作用,使牛肉熟得快,而且肉质松软。

怎么做山药脆爽不黏稠

有的人不喜欢山药的黏稠感,用下面的方法可以使山药做出来脆爽而不黏稠。切山药时动作要快,然后把切好的山药放入冷水中,防止氧化。山药切好后,从冷水中捞出放入开水中焯一下,再放入冷水里洗一下,沥干水分,这样再做山药就不会口感黏稠了。

做肘子和扣肉有诀窍

烹制肘子、扣肉时,煮到熟烂时应立刻涂上一层酱油(冷却后是涂不上色的),再在猪皮上刺孔,最后用八成热的油炸。刺孔时,要密且均匀,这样做可以使肉皮内的部分动物胶流出。用油炸时,猪皮内的动物胶还会继续流出,这样,猪皮内便会出现很多微小的蜂窝形小孔,烹好后扣肉、肘子的外皮便会收缩而起褶,成品美观而又美味不油腻。

巧放盐炖出美味鸡

在炖鸡时如果先放盐,会直接影响到鸡肉以及鸡汤的口味、特色及营养素的保存。这是因为鸡肉本身含水分较高,有的会高达 65 ~∕,0 — ~900,∕0。而食盐具有脱水的作用,会妨碍汤汁的浓度和质量。

因此,炖鸡时应采取正确的放盐方法,就是将炖好的鸡汤降温至 80 ~ 90℃时,再加入适量的盐,这样鸡汤及肉质的口感最好。

剩鸡剩鸭变佳肴

将鸡鸭肉改刀成块,加番茄酱或咖喱酱做成番茄鸭块、咖喱鸡块。

将鸡鸭肉切成丁或丝充当配料,与其他蔬菜同制。也可以单独做成酱爆鸭丁、烩鸭丝、鸡丝面。

将鸡鸭肉绞碎,加上淀粉、鸡蛋等做成丸子,炸或者氽均可。

做出嫩软的烤肉

在烤箱中烤肉时,可在里面放一个盛着水的器皿。由于此器皿中的水可以受热转化为水蒸气,箱内空气中含水量充足,这样即使时间长、热力大,也可以防止烤肉变得焦硬。烤肉前先将肉在开水或热汤中泡一下,也会使肉松软好吃。在烤肉上涂一些食醋,也可以防止焦硬,而且做出来的烤肉口味也不错。

两招去除羊肉膻味儿

将羊肉切块放入开水锅内,加入醋,一般羊肉与水的比例是 1:1,与醋的比例是 20:1。水开后,取出羊肉,膻味儿即可去除。也可将.500 克羊肉与半包或 1,3 包咖喱粉同煮去膻味儿。

烧羊肉时,用少许食油把羊肉煸透,待水分煸干后加米醋煸干(醋的比例是肉的 1/500 左右),然后加葱、姜、酱油、白糖、料酒、茴香等调料。羊肉快熟时加

◎ 很多人喜欢吃羊肉却讨厌羊肉特有的那股膻味儿，煮羊肉时在汤里面加点醋就可以去除羊肉的膻味儿了。

少量辣椒略烧，起锅时加点青蒜或蒜泥，会使膻气大减。

怎样做猪蹄滑嫩不腻

煮猪蹄时，在锅里放入冷水，然后把猪蹄放进冷水中加热，这样可以使猪蹄内部的血水和腥味儿随着温度逐渐升高而流出，撇去过多的油脂再用冷水冲洗猪蹄，做出来就会香嫩而不油腻。

5 招去除猪肝腥味

第一招，先把猪肝洗净，擦干后切片，再放入牛奶中浸泡一下，即可去腥味。

第二招，用蒜、辣椒和酱油调制成酱料，涂在洗净拭干的猪肝上，也可去腥味。

第三招，洗净切片的猪肝可先浸泡在稀释的醋水中，再冲洗干净，即可去掉猪肝的腥味。

第四招，用盐水冲洗，略挤压，把血水挤出，再放入用洋葱、蒜、芹菜等煮沸的水中焯一下，冷水冲净即可去腥味。

第五招，将猪肝洗净，擦干后切片，在切片上划几刀，放入沸水中煮到白浊状的水变澄清时，就可烹调了。

减轻咸肉的咸味用盐水

做菜前用淡盐水漂洗一下咸肉,经过浸泡、漂洗,肉中的盐就会溶解在淡盐水里了。

◎ 椰奶清甜香醇,做菜时加入椰奶,可使营养更加丰富,香气更加浓郁。

烹饪罗非鱼少用油

罗非鱼属于高嘌呤含量的鱼类,会增加血液中的尿酸浓度,造成尿酸过高,引发痛风。烹调时除了用油要少之外,最好用植物油进行烹调。

美味香菜椿吃法多

将香椿切碎,和打好的鸡蛋拌匀,再加盐、香油,待油烧热后倒入锅内,略加翻炒出锅即可。

将香椿与蒜一同捣碎,加香油、醋、盐、酱油,与凉开水一同搅匀,做成香椿蒜汁,用于拌粉皮、熟肉、香肠等。

将香椿焯后放凉,切碎后与豆腐凉拌,加些香油、盐拌匀。

用水将面粉调成糊状,香椿去梗切碎,放入面粉糊中,加盐调匀,将平底锅或高压锅置火上烧热,倒些花生油,将面糊摊入锅底,用铲抹平。

将香椿洗净,晾去水分,去梗留叶,加盐搓揉,使之入味,置容器中盖好盖,三五天即做成了清新爽口的小咸菜。

怎么吃火锅不上火

◆适量放些豆腐

能补充多种微量元素的摄入,还可清热消火、除烦、止渴。

◆加些莲子

莲子不仅富含多种营养素,而且还是人体调补的良药,最好不要去掉莲子心。

◆多放些蔬菜

蔬菜含大量维生素及叶绿素,能消除油腻,补充人体维生素的不足,还有清凉、解毒、去火的作用,但蔬菜不要煮太长时间,开锅后放入即可。

◆可以放点生姜

火锅内可放点不去皮的生姜,有散火除热的作用。

◆调味料要清淡

使用酱油、香油等较清淡的作料,可避免对肠胃的刺激,减少"热气"。

◆餐后多吃些水果

一般来说吃完火锅半小时后可吃些水果。

风味虾吃法多

做蒜蓉虾或奶酪虾时,从虾背上将壳剪开,但不要剥去壳,这样更易入味。

做白灼虾时,在烧虾的汤里放几片柠檬,可去腥增鲜。

煮龙虾时,要用大火,小火容易煮得太熟而失去鲜味。

炸虾时,时间要短,再回锅炒时动作要迅速,才不会让虾肉变老。

怎样做鳝鱼

将鳝鱼背朝下放在砧板上,用刀背从头至尾拍打一遍,可使烹调时受热均匀,更易入味。

烹调鳝鱼不适宜用油炸的方法,应该切片后在热油中滑炒。这样既可以去除鳝鱼本身所具有的异味,又可以使成品菜肴味浓质脆。

妙出松软的腊肉

炒腊肉很香,但是有些嚼起来很硬。腌制的比较硬的腊肉可以先蒸一下,然后再切成片炒菜,这样做出的腊肉就松软可口了。

怎样炒虾仁又大又鲜脆

虾仁炒时很容易缩水变小,最好的方法就是在虾仁洗净以后,用干净的纱布或厨房纸巾包裹,充分吸干水分,这样就能避免炒的过程中缩水了。虾仁很容易就熟,烹调时间不宜过长,用滑炒的方式炒出来的虾仁才又大又鲜。

做狮子头如何令口感筋道

拌肉馅的过程中要增加摔打次数,把肉团中的空气完全释放出来,做出来的狮子头才会筋道有弹性。油炸的时候,油温要高,不断翻动,以免粘锅底,当外表炸至定形,再改小火炸至熟透即可。

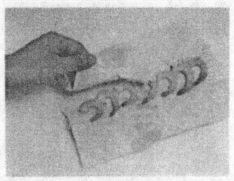

◎ 将虾仁按顺序排成一排，利于
纱布吸收水分，不可裹成一团。

夏日消暑猪骨粥

选小排骨 500 克，先放入水中煮，煮时放适量黄酒、姜丝去腥，待半熟时，将一把带皮花生米放入锅内，再烧至猪骨八成熟，加入 300 克大米，用小火煮熟，最后放入少许盐、味精、葱花，吃时加胡椒粉。加米之后切忌用大火，如果米煮烂就像泡饭而不像粥了。

炒鱼片不碎的窍门

炒鱼片最好选用鲜鱼，并将切好的鱼片用适量的盐、蛋清、淀粉拌匀，放置一会儿。炒前鱼片还要入油锅滑一下，当油温三四成热时，放入鱼片，待其颜色泛白，能轻轻浮起时即捞出沥油。然后，锅内留少许余油，放入葱、姜末、料酒、味精、盐、热汤，用水淀粉勾芡后，将鱼片倒入翻炒几下即可。这样炒出的鱼片色泽洁白、质地鲜嫩而完整。

做劳食何时放盐出好味

烧全鱼、炸全鱼时，先用适量盐将全鱼、鱼块腌渍片刻，使味浸入肉内，也可使成菜味道更鲜美，并可防止做出的鱼肉质松散。烧香酥鸡、香酥鸭时，宰杀洗净后，用盐把鸡、鸭表皮和内腔均匀地擦一遍，这样烧出的鸡、鸭酥烂可口。红烧肉、红烧鱼块等需经焖、煎后,再放盐和其他调味品及汤水,这样做出的肉或鱼味正、香浓、鲜美。

使海带柔软可口的妙招

◆碱煮法

海带不容易煮软,因为海带的主要成分褐藻胶比较难溶于普通水,但褐藻胶却易溶于碱水。根据这一特点,煮海带时可以加少许碱,煮软后应该立即熄火,加碱不可过多,煮的时间也不可过长。

◆干蒸法

把成团的干海带打开后放在笼屉上蒸30分钟左右,再用清水泡一夜。这样处理后的海带又脆又嫩,用来炖、炒、凉拌都可以。

◆加醋法

在煮海带的时候加几滴醋,就能很快地把海带煮得柔软可口。

用盐来去除带鱼的腥味

可以在清洗带鱼时用盐水代替清水,洗净之后再用盐腌片刻,这样做出的鱼腥味会大大减轻。煎带鱼时,锅中多放些油,利于鱼肉保持完整,煎第二面时要倒出部分油,就可减轻鱼腥味。

妙鱿鱼的窍门

炒鱿鱼油温不宜过高。鱿鱼切花刀时要在内侧切,不可在反面切,否则炒熟后无法卷起。

煮肉时加水的学问

热水煮的肉,肉味较鲜美,而冷水煮肉的汤味较浓香。炒肉丝、肉片时,加少量水,炒出的肉会更鲜嫩。熬骨头汤时,中途切莫加水,否则会降低营养价值,影响口味。

贝类去除泥沙法

在吃炒蛤蜊、田螺这些贝类时,常常会吃到沙子,只要在做这些菜之前将蛤蜊、田螺、蚌等贝类浸在盐水中,或在水中放入1把菜刀,2~3小时后,贝类就会自动吐出泥沙。

好吃的咕█肉做法有窍门

上粉和炸油的温度是咕咾肉能否做好的关键。首先要使肉入味,然后再加入调好的鸡蛋液,使肉色金黄、肉质香松,最后裹上淀粉以封住肉的纤维,这样等到油炸时肉汁便不会干。炸的时候,要待油沸后才可把肉块倒入锅中,因为沸油可把肉外层的淀粉收紧不脱落。

两招巧去肥肉腻味

◆啤酒去腻法

在烹调时,加1杯啤酒,可去肥肉腻味,做出来的肉香而不腻。

◆腐乳去腻法

把肥肉切成薄片,加调料炖在锅里,按500克猪肉配1块腐乳的比例,将腐乳放在碗里,加适量温水,搅成糊状,等开锅后倒入锅里,再炖3~5分钟即可食

◎ 做鱿鱼时要想菜品看起来美观,可以将鱿鱼切花刀,但要注意,若把鱿鱼反面上的薄膜弄破,鱿鱼就不能卷起了。

用。这种方法做出的肥肉再蘸蒜泥,不仅腻味没有了,而且味道鲜美可口。

怎样做鱼丸不会散

　　制作鱼丸,最好选用高蛋白质、低脂肪的新鲜鱼肉。鱼肉的脂肪含量高会降低鱼丸的弹性,鱼肉的新鲜程度也将影响鱼丸的质量。

　　鱼蓉要剁细,搅拌时要顺着一个方向搅,以增加黏性。

　　鱼丸要冷水下锅,小火煮熟。随着锅中水温的升高,鱼丸的弹性增强,直至煮熟。

　　水温过高鱼丸又会出现多纤维状,影响口感。水温过低,鱼丸会失去黏性、碎散。加热鱼丸的温度以 80～90℃为好。

2 招让鱼煮得松软可口

◆醋泡法

　　煮鱼前,如果先把切好的鱼块浸在醋水里,煮出来的鱼会香醇软嫩。

◆加山楂法

　　煮鱼的过程中,在锅里放几片山楂就能使鱼骨酥软可口。

怎样做出美味的鳕鱼

　　鳕鱼肉质软嫩,适合清蒸、红烧或油炸,而且鳕鱼热量低营养均衡,非常适合减肥者食用,但烹调时间不宜过长。以免肉质老硬。

　　炸鳕鱼一般用先蘸蛋液再沾淀粉的方式,鳕鱼很容易炸熟。要控制好油炸的时间及火候,才能炸出外酥里嫩的鳕鱼。如果是冷冻鳕鱼片,一定要先解冻再腌制,否则会有水分流出,影响口感。

发鱿鱼的小窍门

先把干鱿鱼在凉水中浸泡 2~3 小时,再放入碱水中浸泡 3 小时左右,发透发足后立即捞出放入清水中反复冲洗,将浸入鱼体内的碱质全部清除,才可用来做菜。碱水的浓度是泡发鱿鱼的关键,水、碱、石灰的比例一般为 8∶1∶0.3,调匀后再加一倍凉水即成。但泡发时,还要根据具体隋况而适当变化。如淡黄透明的嫩鱿鱼,碱水浓度要小一些,而紫色老鱿鱼,碱水浓度要大一些。热天碱水要淡一些,冷天则浓一些。泡发过程中,还要注意观察,一旦涨发,色泽鲜润,随即捞出。如果时间过长,会造成鱼体损伤。

烧鱼入味有窍门

做鱼的时候会出现外浓内淡的情况,想让鱼入味可以用下面几种方法。

体形大的鱼要打花刀,刀纹深浅适宜,刀距一样,最好在鱼身上抹些带味的酱。

在烹制前,将盐均匀地涂在鱼表面和鱼腹下,腌片刻。

◎　将鱼块放入盛有少许醋的盘子中片刻,可使煮出来的鱼更鲜香可口。

烹制时要用小火慢慢烧,汁浓时再出锅。

烹制美味墨鱼的方法

首先,把墨鱼的头身分开,把皮剥下,将其余杂物去掉,洗净。

然后,将墨鱼头、皮放入开水锅煮 1 分钟后捞出。

最后,将墨鱼肉打成麦穗花刀,待锅内油八成热时将其放入,肉片卷起时出锅。向锅内加油，用葱姜末炝锅，放入蔬菜、调料，加少量水，大火烧开后加入墨鱼肉，翻锅后倒人少许淀粉，加味精，淋香油即可。

烹制嫩滑鲜美的淡水鱼

淡水鱼烹调方法应以清淡为主，一般不要过油和干炸。放入少量啤酒或葡萄酒，不但可去除泥腥气，而且可增加鱼的嫩滑鲜美。淡水鱼多数在肥水中生长，所以不宜生吃。

巧选鲍鱼干

广东、山东、辽宁等地是我国鲍鱼的几大主要产地。进口鲍鱼中分柴油鲍和明鲍两种，其中柴油鲍较好。国产的统称为鲍鱼或鲍脯，以色泽金黄、肉质丰厚为最佳。鲜鲍主要有马蹄鲍、栗子鲍、珠子鲍。鲍鱼干以体形完整、结实、够干、淡口、柿红或粉红色为上品。体形基本完整、够干、淡口、有柿红色而背略带黑色的为次品。

泡发海参有妙法

皮厚坚硬的海参，先放在火中烧皮（烧至焦枯发脆即可），用小刀刮去焦枯皮层，放冷水中浸泡两天到体质回软后取出加水煮，水开后改小火焖约2小时，捞出剖肚，取出沙肠，再放入冷水桶中浸泡，热天4小时，冷天1昼夜，回锅煮开，小火焖1.5小时，捞出放入清水浸泡4~5小时即可发透。

4 招巧辨鱼是否被污染

◆看鱼眼

没有受到污染的鱼，鱼眼微突，富有光泽。受到污染的鱼则眼球混浊无光泽，有的眼球明显鼓出。

◆看鱼鳃

没有受到污染的鱼,鱼鳃鲜红,排列整齐。受到污染的鱼,鳃呈白色,其形状粗糙。

◆看鱼尾

没有受到污染的鱼,鱼尾正常。受到污染的鱼,尾脊呈畸形。

◆闻气味

没有受到污染的鱼,有一种新鲜湿润的腥味。受到污染的鱼则有一种汽油或类似氨的气味。

◎ 用手把鱼鳃掀开,受到污染的鱼会发出难闻的气味。

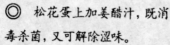

◎ 松花蛋上加姜醋汁,既消毒杀菌,又可解除涩味。

松花蛋要配姜醋汁

吃松花蛋时,要蘸姜末和米醋配成的姜醋汁,不仅能去除松花蛋的腥味,还能中和蛋白体中所含的碱性物质,除掉碱涩味。另外,姜醋汁还能起到解毒、杀菌的作用。

又滑又嫩的蒸蛋如何做

打散鸡蛋时加入适量的水,再用滤网滤除杂质,要等蒸锅水开后再将蛋液放入,小火蒸 7 ~ 10 分钟即可。蒸的过程中不宜掀盖,以免降低蒸锅内的温度。另外,锅盖要留条缝,让水蒸气自然散掉。蒸蛋时,若发现蛋液怎么蒸都不凝固,可能是因为蛋液里有油,因此打鸡蛋时要注意选择干净无油的容器。

炸过鱼的油除腥味有办法

炸过鱼的油有一股腥味,要想去除腥味,只要把炸鱼的油烧热后,投入一些葱段、姜片和花椒,炸出香味来以使油中腥味分解。然后将锅离火,抓一把面粉撒入热油中,面粉受热沉积,也可吸附油中大部分腥味。

3 招让鱼汤呈奶白色

做汤前先把鱼煎一下,煎鱼时若用猪油,鱼汤更容易发白。

炖鱼时锅内最好一次添足开水,而且前 10 分钟要用大火。

炖鱼时放入 1 汤匙牛奶,不仅能去除鱼腥味,而且使鱼肉酥软鲜嫩,鱼汤雪白味美。

怎样煲出肉嫩汤鲜的老鸭煲

选两岁的老鸭,肉质要尽量瘦,这样汤才不油腻。煲汤前先将老鸭洗净,剔除鸭尖,然后将老鸭放入沙锅,在鸭面放上火腿片、葱段、姜片,再倒入两勺黄酒,最后加入温水,水面一定要将鸭身淹没。先用大火将汤烧开,等汤烧开后,调到小火煲 3 小时,然后把葱和姜片挑出来,加入少许盐、白胡椒粉,撒上香菜末即可。

如何把汤做浓稠

一是加水淀粉,二是加一点油,把油烧热冲入汤汁,使汤汁和油混合,盖上盖子用大火焖烧一会儿,汤就变浓了。

豆腐煮汤不碎的方法

将豆腐在盐水中浸泡半小时。从盐水中取出后,应静置 5 分钟,让水分沥掉一些,再用干净的纸巾擦干,并吸出多余的水分,这样豆腐就可以保持原有的形状,避免豆腐会越煮水越多,最后变成稀稀糊糊的。豆腐切好后要等到其他材料煮匀之后再加入,用小火慢烧才能入味,如果先放豆腐,容易因为翻动其他材料而让豆腐破碎。

巧做蛋花汤

水烧沸加入调料,然后将温水调匀的藕粉汁(也可用淀粉调汁)慢慢倒入锅中搅拌。

将藕粉或水淀粉放入蛋液中,再在蛋液中放入少许醋用筷子打匀,往锅里倒蛋液时,保持成一条细流状倒入,这样做出来的蛋花汤口感细腻又好看。

炒菜、做汤盐放多了能补救

如果做的汤太咸了,可以削一个土豆放到汤里,这样土豆就可以吸收一些盐味,从而使过咸的汤汁变淡。

如果做的菜太咸了,可以在菜中放适量的白糖,或者放一些醋,咸味都会大大减少。

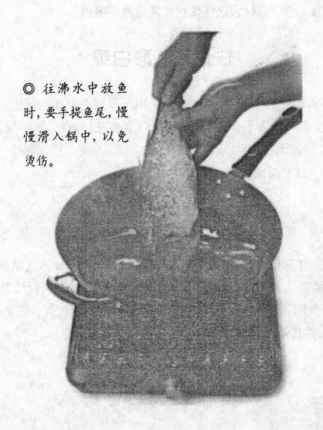

◎ 往沸水中放鱼时，要手提鱼尾，慢慢滑入锅中，以免烫伤。

煲出没腥味的鱼汤

不论在滚水或冷水里下汤料，都不会影响食物的营养价值，但一般都在滚水里下料，这是因为材料会随着汤水不停浮动，不会粘锅。煲鱼汤时更要等水煮沸时再下鱼，如果冷水下鱼，鱼会积聚在锅底，锅内的水要等一段时间才能滚开。鱼在锅底时间长了，汤煮滚后，锅底的鱼无法滚起，不但会粘底而且鱼腥味很重。

炖出香浓鸡汤有要点

炖鸡汤最好用土鸡，因为土鸡的肉质紧实。炖汤前要把洗净的土鸡放入沸水中余烫去血水。炖时要用大火先煮沸，再改用小火慢炖。若加盖熬煮，一定要留一条缝隙,让蒸汽散出,这样汤汁才能清澈不混浊。

快速腌制酸白菜

选择 1500 克左右小棵又整齐的白菜,用干布擦去表面的浮土,去掉外层的枯叶和根须。取一个大小合适的罐子,把白菜整齐地码好,每一层撒上适量的盐,用力压实,倒上滚开的热水(水要淹过白菜 3～5 厘米),上面压一块石头,放置在气温 20～25℃ 的地方,3 天后即可食用。

久存不腐的腌辣椒

把新鲜的红辣椒洗净晾干,切成小块,放入坛子中,加入适量的盐和醋,用纱布包紧花椒放入辣椒中,将坛子压实,上面淋一层香油,密封坛口,放置 15～20 天后即可食用。腌出来的辣椒味道好,保存的时间也长久。腌辣椒的罐子一定要洗干净,并且是干燥的,如果有水,辣椒很容易就会烂掉。

◎ 小线椒体积小, 晾干后可不切块直接放入坛子中腌制。

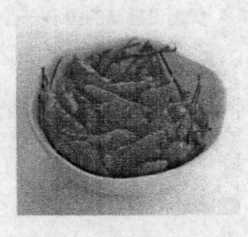

腌赞制酸辣樱桃萝卜

先将萝卜洗净，用盐腌渍一会儿，等蔫得比较软了，切成花刀。切好后，用醋、白糖、辣椒面、酱油腌渍，盐可以酌情放，待腌入味后再调入鸡精，就可以了。

酱香浓郁的酱蒜薹

将蒜薹去掉根和子，洗净放入坛子里，用盐水泡 1 天后捞出，切成 4 厘米长的段，再放入清水浸泡 2 小时，中间换 2～3 次水。捞出蒜薹，在阴凉处晾干，装进干净的布袋。在坛子里放入适量的面酱，把蒜薹布袋投入面酱中酱渍，10 天后酱香浓郁的酱蒜薹就腌好了。

腌制色彩鲜亮的四川泡菜

将泡菜坛洗净控干，干辣椒洗净去蒂控水，老姜刮皮洗净，放入坛中，在坛子里加入盐、白糖、白醋以及白酒，将清水注入坛中，即成泡菜水。把各种蔬菜如豇豆、胡萝卜、洋白菜等洗净晾干水分，放入坛内用盖子盖严即可。夏天放室外凉爽处 1～2 天，冬天 4～5 天就可以吃了。

巧做鲜辣海带片

把海带洗净，放入锅中蒸 30 分钟，取出切成片，放入罐子里。在罐内加入盐、辣椒粉拌匀，再加入少许干姜粉和适量的凉开水拌匀，腌渍 3 天后，美味营养的鲜辣海带片就好了。

用酱油窍门

酱油应在出锅前加入，不宜在锅内高温烧煮，高温会使其失去鲜味和香味，同时酱油中的糖分在高温下会焦化变苦，吃了以后对身体有害。

要烹制绿色蔬菜应该少加或尽量不加酱油，放酱油会使翠绿的色泽变得暗淡黑褐,不仅影响美观,浓重的酱油香还会掩盖蔬菜的天然美味。

剁蒜撒盐不粘刀

在剁蒜时,总有蒜渣粘在刀和砧板上,感觉很麻烦,其实只要在大蒜上撒些盐,就可免去这样的麻烦,而且剁蒜时蒜渣也不会迸溅。

葡萄酒的妙用

煎鱼时,鱼皮有时会粘锅,如果在锅里倒上半杯葡萄酒就不会有这样的麻烦了。

在锅里倒 1 杯葡萄酒加热,然后打入 1 个鸡蛋,搅拌一下即停止加热,喝了它可以防治感冒。

外出旅游时,携带的旅行壶往往会产生令人讨厌的怪味儿,只要预先在水壶中加一小勺红葡萄酒,就能避免水变味了。

使用味精要正确

做菜时放味精不要温度过高,因为在温度高于120℃时味精会失去鲜味和营养,甚至还有毒性。出锅前放味精最适宜。

味精喜酸怕碱,因此不要与碱、小苏打或含有这些物质较多的食物混用。

注意要适量食用,不要每天必用,每菜必用。3个月以内的婴儿不宜食用味精。

小食盐多功效

用热盐水泡脚,可治疗足癣和一般脚臭。用温盐水漱口,可治疗牙痛、牙龈肿痛、牙龈出血等口腔疾病。用盐水洗澡,使人消除疲劳。打嗝不止时,将少许盐放在舌头底下,等其融化以后,徐徐咽下,嗝即止。年轻人掉发,不妨用盐水洗头,可减少头发脱落。

清洁保养

厨房

肥皂水去斑点

酱油渍、油渍等斑点,用抹布蘸肥皂水或洗洁精就可轻松去除。即使遇到不好应付的污垢,先用肥皂水浸一会儿再擦拭,也能很快去掉。

去污粉摩擦去痕

台面上的刀痕、灼痕及刮伤,用抹布蘸去污粉,以画圆的方式轻轻擦拭,印痕就会减轻或消失。

玻璃台面可用蛋清代替去污粉。

用海绵蘸上面粉来洗刷水槽内侧,面粉具有吸附油和污垢的作用,因此面粉可代替清洁剂使用。用面粉洗刷后的水槽干净亮洁,就像新的一样。

如果家里有结块、生虫、变质的面粉不妨一用,既省钱又健康。

土豆皮除水雾

水槽表面经常雾蒙蒙的,用土豆皮擦拭就可使水雾消失。洗完餐具后,用土豆皮内侧来擦拭水槽的各个角落和水龙头周围,再用干抹布擦,水雾就消失了。

碳酸饮料去水垢

把喝剩的碳酸饮料洒入水槽,用抹布轻轻擦拭,水垢和油污就会神奇地消失,水槽也变得光亮起来。即使饮料已经不冒气了,也能达到同样的效果。

废保鲜膜代替抹布

将用过的保鲜膜揉成一团,用力摩擦不锈钢水槽,不用清洁剂,就可去除水垢或油污,使水槽保持亮洁。

洗刷较多油污的餐具时,可先用保鲜膜擦一下再洗,省水又省力。

苹果核除污垢

用苹果核擦拭水池,不用清洁剂就能将水池里的油污擦洗掉。这是因为果核中含有果胶,果胶具有去除油腻和污垢的作用。

萝卜片、白菜叶等也可以起到相同的效果。

用牙签清理燃气灶灶头

如果燃气灶的出气口被阻塞,炉火的颜色就会变红,造成不完全燃烧。这时可以用吸尘器吸附火口处的污物,或者用牙签清理灶头。

灶台清洁 4 窍门

水龙头上难以清除的水渍,可以用一片鲜柠檬,在水渍上来回擦几次,便能消除水渍,而且水龙头也变得光亮了。

不好清理的水龙头嘴处,将柠檬片向着出水口用力按压并转动几次,就能清理干净了。

用面粉擦洗水龙头

水龙头用了一段时间,表面容易"起雾",这时要做清洁擦洗,可以先用干布蘸面粉或香烟灰来擦,再用湿布擦洗,最后再用干布擦。这样既能把水龙头擦得光亮,又不会损伤其金属表面。

炉具巧清洁

◆啤酒迅速去污

用抹布蘸上喝剩的啤酒来擦拭炉具,啤酒中的糖分能将油污分解,可以迅速去污。如果是比较顽固的污垢,需要浸泡一会儿再擦。适合长时间未清洗的炉灶。

◆塑料网除污垢

把包水果的塑料网收集在一起,卷成一团,蘸上一点儿洗涤剂来擦拭炉具,可使炉具光亮如新。

◆旧绒毛布擦亮炉具

把旧绒毛衣剪成小块,蘸一点水来清理炉具,不用清洁剂污渍也能轻松擦去,而且炉具也变得很光亮。适合日常养护、增亮。

灶台清洁 4 窍门

◆撒点面粉用纸刮

先在新油污上撒一点面粉,再用硬纸片或旧报纸轻刮,用抹布一擦即净。

◆用面条汤擦

对付已经变干的油污,可先刮除,再用抹布蘸热的面条汤或稀米汤擦拭。

◆油膜用小苏打水刷

　　清洗灶台表面的油膜,先在少量热水中加入小苏打,趁热将小苏打水涂在油膜上,浸泡 5～10 分钟,用旧牙刷就可将这层黄油膜刷掉了。

　　◎　用牙签清理之后,再用吸尘器吸附脱落的污物,这样出气口立刻畅通无阻了。

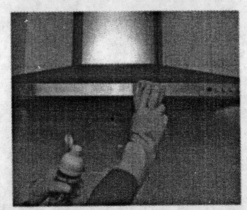

　　◎　清洗时最好戴上橡胶手套,以免造成触电危险。

◆黄斑用清洁剂和纸巾擦

可以先喷一些清洁剂在黄斑上,再贴上纸巾,约 15 分钟后,再进行擦拭。

吸油烟机清洗 7 诀窍

◆防油涂层洗洁精

在使用前,用微湿的抹布蘸上洗洁精(不要对水),在机身、扇叶上涂得稍厚,控制在"不滴挂"即可,等自然干透后,防止油烟黏附的洗洁精涂层就做好了。清洁时,用约 60℃的水直接清洗机身就可以了。

◆废油就是最佳去油剂

吸油烟机储油盒里的废油,过滤出最上面的一层,就是清洁污渍的最佳去油剂。用抹布蘸废油涂在油污处,浸泡约半分钟后擦掉,再用干净的抹布擦亮。

油渍很难用水擦掉,却容易溶解在油里,因此利用废油来擦拭方便又省钱。

◆外壳和网罩用软布蘸洗洁精擦拭

取少量温水混合一些洗洁精,用软布蘸一点儿擦洗外壳和网罩,擦净后用软布擦干。

清洗时,要注意电机和电气部分不能进水,也不要用力拉扯内部连接线,以免造成触电危险。

◆滤油网和扇叶用洗洁精、食醋浸泡去污

准备 2 毫升洗洁精、50 毫升食醋和半盆 60℃左右的水,将三者混合在一起。把滤油网和扇叶放在里面浸泡,约 15 分钟后取出,用干净的抹布擦洗。

◆扇叶上涂胶水保护

将刷洗好的扇叶晾干后,涂上一层比较厚的办公用胶水,形成保护膜,就可以保护扇叶不沾油污。

过一段时间,将风扇叶上的油污成片撕下来就行。

◆给储油盒贴上保鲜膜

在储油盒内贴上一层完整的保鲜膜,保证塑料膜完全盖住盒内表面。

清洁时,揭起保鲜膜,兜住废油,抽起即可,储油盒基本就是干净的。

◆不用拆洗的每日清洁法

做完饭后,往吸油烟机的扇叶上喷一层洗洁精,3 分钟后,再喷一层约 60℃ 的水,打开吸油烟机,油污就会被抽走,用湿纸巾擦拭一遍就干净了。

用这种方法每天清洁,就可以保持吸油烟机长期不沾油,避免拆洗了。

面糊除油法

厨房的瓷砖墙壁和炉具沾上了油污,可以用面粉加水搅成面糊,涂抹在油污处反复用手摩擦,油污就会被面糊包裹而脱落,然后再用湿抹布清洁墙面或灶具,即可恢复光亮。

电饭煲黑斑用醋洗

电饭煲使用时间长了以后,内胆会被腐蚀产生黑斑,用醋浸泡一夜后就能轻松除净。

巧除热水瓶中的水垢

热水瓶用久了以后,水的颜色或味道都会变坏,水垢若积在瓶内,一般很难清除,可用煮熟的大麦粒和适度的水一起冲洗。

如果没有大麦粒也可用豆粒,再加入一些洗涤剂,效果也不错,还可以在
内装八分满的热水,再倒入一点醋,放置一段时间后再用刷子刷洗,即可彻底清
除水垢。

烤箱异味巧清除

在烤箱中放一碗柠檬水或 1∶1 的白醋水,用 100℃ 的温度干烤 10 分钟,烤
箱中的异味即可去除。

面糊刷去纱窗油腻

用 100 克面粉,加入热水打成稀糊状,趁热刷在纱窗的两面,过 10 分钟后
用刷子刷,再用清水冲洗即可。

旧毛衣擦炉具省去清洁剂

穿旧的不再使用的毛衣可以作为厨房清洁工具。将旧毛衣剪成合适大小,
蘸水拧干后,擦拭炉具的灰尘与油污,不需要清洁剂,就能将炉具擦得很干净。

榨汁机快速清洗法

在搅拌杯中加入约 1/3 的温水和约 1 勺洗洁精,搅拌 30 秒,然后用清水冲
洗就可以。

这种方法也适用于各种搅拌机。

微波炉的清洁和保养

◆炉箱外部用中性肥皂水清洗

清洗之前一定要拔掉插头。炉箱外部要用温和的中性肥皂水清洗,不要使

皂或去污剂,洗净后用软布抹干。

微波炉顶有排气孔,清洁时要注意避免污水流人。

◆保持干燥降低故障率

使用或是清洁后,微波炉的炉腔内都会有水蒸气或潮湿现象,一定要用干布擦干或稍开一点炉门,使其通风干燥,这样会大大降低微波炉的故障率,延长使用寿命。

◆除异味用柠檬汁

在半碗清水中加入少许柠檬汁或食醋,将碗放入微波炉,用大火煮至沸腾后,关机拔掉电源插头。待碗中的水稍微冷却后,将其取出,用湿抹布擦抹炉腔四壁,微波炉内的异味就没有了。

◆油渍用水蒸气去除

将一大碗水放在微波炉中,用大火煮,直至产生大量蒸汽。关机拔掉电源插头,待碗中的水稍微冷却后取出,用湿抹布就可轻松将里面的油渍擦干净。

5 法除冰箱异味

◆橘子皮除臭增香

将几块新鲜的橘子皮,散放在冰箱内,几天后冰箱异味就被清香代替了。

◆毛巾吸异味

用一条干净的纯棉毛巾,折叠整齐放在冷藏室的搁板边上,毛巾上的微细孔可吸附冰箱中的异味。

◆食醋、黄酒除臭

将约 50 毫升食醋或黄酒倒入敞口玻璃瓶中，放在冰箱冷藏室的最下层，一般 3 天就可除净异味。

◆茶叶吸附异味

用纱布包 50 克茶叶放入冰箱，1 个月后取出茶叶放在太阳下暴晒，再装入纱布放进冰箱，可反复使用多次。

◆咖啡渣除臭

把咖啡渣放入微波炉加热 1～2 分钟，干燥后装入盘中或无盖的容器内，放入冰箱的冷藏室，就能去除冰箱异味。

◎ 旧牙刷可以擦拭到冰箱门缝中细小的位置。

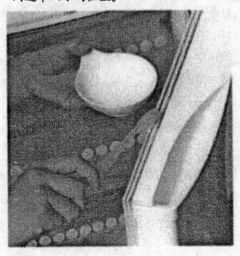

防止冰箱内生霉菌的 4 种方法

第一,热的食物冷却后,再放入冰箱贮藏,尽量减少箱内潮气。
第二,防止菜汤、酱油等洒在冰箱内。
第三,冰箱内溅上污染物应立即擦干净。
第四,不要让熟食直接接触冰箱内胆。

清洁冰箱 3 要素

冰箱最好定期擦洗,否则容易滋生病菌。擦拭冰箱外表时,不要用刷子或坚硬的东西,要选用干净的软布擦拭。冰箱门垫如果长时间不清洁,会减弱其弹力和磁性,清洁时可以用旧牙刷蘸洗洁精擦拭,然后再用软布擦净即可。

冰箱除霜不费力

◆薄冰用热毛巾敷

除霜过程中,最重要的是要把冷冻室内壁,以及抽屉隔板等处清理干净。对于薄冰,只需要用热毛巾"热敷"一下,冰就能融化。

◆贴塑料膜除霜更简单

按冰箱冷冻室的尺寸,剪一块稍厚的塑料膜,贴在易结冰的地方,凭借冷冻室的冷气很容易就能贴上。除霜时,将冷藏室的食物取出,只要撕下塑料膜,轻轻抖动一下,冰霜即可全部脱落。

冰箱内外巧擦拭

◆外壳和拉手用牙膏擦

用微湿的抹布每天擦拭冰箱的外壳和拉手。如果污迹较为顽固,用软布蘸少许牙膏反复擦拭,冰箱即可恢复光洁。

◆隔板除菌用醋水擦

冰箱内部的隔板是细菌滋生的温床,因此要经常进行除菌处理。清洗时,按1:1的比例将水和白醋调成醋水,浸泡隔板15分钟,就可有效去污除菌了。

◆内壁涂甘油保护

先切断电源,用软布蘸洗洁精轻轻擦洗冰箱内部,然后蘸清水将洗洁精拭去。清洁后,用软布蘸甘油擦拭冰箱内壁。

◆密封条除斑用牙刷刷

冰箱门上的密封条是极易聚积污垢的地方,可用旧牙刷蘸上洗洁精擦拭,再用抹布擦干。

冰箱快速除霜法

让冰箱停电自行升温化霜需要很长时间。其实只要用两个饭盒装满开水,盖上盖子放在冷冻室内,数分钟后,冷冻室壁上的霜块就开始脱落了。记住除霜前一定要断电。

用盐清洗水池油污

厨房里的水池壁上常常会积有油污,只要抓一把盐,均匀涂在四周池壁上,稍微等待一会儿,然后用热水冲洗几遍,油污就能轻松除去了。

清洁洗碗槽有妙招

泡过茶的茶包不要急着扔掉,可以用它来擦拭洗碗槽。因为茶的成分有分解油的作用,所以不用清洁剂也能去除油污,而茶包的无纺布是极好的清洁面料,去污效果好。

泡过的茶包用来清洁陶瓷面盆也是极好的选择,这样就不用担心陶瓷表面有划痕了!

喝剩的碳酸饮料洒在洗碗槽里,用海绵轻轻擦拭,洗碗槽也能重现亮泽。

水槽的日常保养

用柔软的海绵或抹布清洁水槽,不要用钢丝球和漂白剂。用完水槽后要及时擦干,不要使水滴残留在水槽表面。泡菜、酱等腌渍食物不要长时间放在水

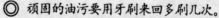

◎ 顽固的油污要用牙刷来回多刷几次。

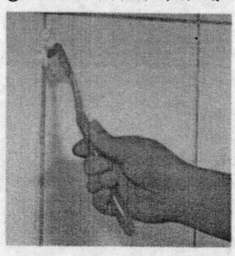

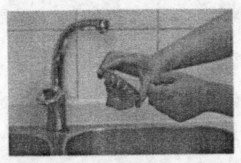

槽中。铁锅等铸铁炊具不要长时间放在水槽中。

防止下水管油垢堆积

厨房里的水槽经常会流下油水,时间久了油垢会堆积在下水管内,造成堵塞。往排水孔内倒一些去油渍的清洁剂,先用热水冲,再用冷水冲,像这样每隔一两个月清理一次,即可防止油垢堆积。

用旧丝▮过滤下水口

洗碗槽中常常会有食物残渣和菜叶,而下水口的过滤网眼儿过大,就会流下去造成下水管堵塞。用纱布或不穿的旧丝袜套在过滤网上,当作残渣的收集网。记住要定期进行更换过滤用的旧丝袜,否则产生的异味只会让水槽环境变得更差。

防下水管堵塞的清理法

排水管堵塞了,用吹风机对准水管的 U 形部位,用热风吹,大约 5 分钟后,水管内侧的污垢就会溶解,再试着往水槽内倒热水冲,一般的堵塞就能解决了。如果是塑制管道,应当注意热风的挡位和时间,别烤化管道。

厨房玻璃巧擦洗

◆热醋擦玻璃去油渍

清洁厨房窗户的玻璃时,可以先用抹布擦去浮土,加热一些食醋,然后用布蘸着热醋擦拭,被油烟熏过的玻璃很容易就可以擦干净了。

◆白酒 + 报纸 = 玻璃透亮

报纸是清洁玻璃的"一把好手",加上白酒效果更加显著。清洁之前先用抹布蘸白酒擦一遍玻璃,玻璃上的油污就可轻松除去,再用废报纸进行 2 次"加工",玻璃就会变得很透亮了。

洗涤剂护墙一抹净

靠近灶台的墙壁,往往会被炒菜时的油烟弄脏。我们可以未雨绸缪,在炒菜前先涂上一层洗涤剂,形成一层隔油膜,炒菜时溅上油渍也不怕了,只要用抹布一抹就会干干净净。

排水口清理不脏手

清理水槽的排水口时,只要先在手上套个塑料袋,再套上一只旧袜子,就能很轻松地清理排水口。清理完后,把塑料袋向外翻就能顺利脱下来丢弃。

用塑料瓶疏通堵塞水池

厨房水池的下水管堵塞时,可以用空塑料瓶来解决。

在水池内积 3 ~ 4 厘米深的水,然后用一个软塑料瓶,倒扣在水池的下水口上,用手按紧一压一松操作几次,即可疏通堵塞的下水管。

灶台清洁因材而宜

天然石台面。当台面上有污渍时,应及时擦拭干净。清洁时宜用软布。

人造石台面。清洁起来比较方便,用软布和洗洁精就可以。但不可使用摩擦性的清洁剂。

耐火装饰板、不锈钢台面。清洁时要用软布,不可使用钢丝球等硬度较高的清洁工具。顽固的污渍可以用中性清洁剂清洗。

如何防止沙锅爆裂

用沙锅做菜时要保持锅内有一定的水,使沙锅受热均匀,就不易爆裂。

烧好菜后,端下沙锅,切忌不要放在瓷砖、玻璃或混凝土地板上,要放在木板或垫子上。

用沙锅煲汤,刚开始用小火,使之缓缓受热后再转为大火,汤汁滚沸后再改为小火。

新沙锅第一次用时,先放些淘米水煮一煮,既能堵塞沙锅的细小孔隙,也能防止爆裂。

◎ 塑料瓶选用柔软度较好的矿泉水瓶即可,太硬的容易引起水花喷溅。

铁锅除污除锈除渍 3 招

◆新铁锅除污用醋煮

把新锅烧热,倒入食醋 250 克左右,加热片刻,待发出"吱吱"的响声时,用刷子反复刷几遍,然后把醋倒掉,用清水洗净,即可除去新铁锅上的黑灰和锈斑。

◆除锈涂食用油

洗净锅后,在锅里涂上食用油,再把锅扣在火上烧 1 分钟,关火,然后用布或棉花擦,铁锈就会除净。

炊具、餐具的消毒

用废旧的电话卡或硬塑料卡片,沿着锅边逐步将焦垢刮干净。再将污渍用温水淋湿,撒上小苏打粉,放置一整夜,就可将污渍清除干净。

取较深的蒸锅,先把洗净的炊具、餐具放入锅内,完全浸泡在水中进行加热,煮沸约 10 分钟,一般的细菌就会被杀灭。要注意的是不要等水开了再放要消毒的炊具和餐具。

"不粘锅"清洗的窍门

锅凉后,用海绵或者丝瓜络蘸洗洁精清洗就可以,注意不要使用钢丝球,这样会破坏"不粘锅"的涂层。

每次洗涤后,在锅内涂一点儿食用油,可以保护锅底涂层。

橘子皮吸油去污

用橘子皮外侧擦拭水槽,再用清水冲洗,油腻腻的水槽就会变得洁净发亮。

这是由于橘子皮中含有去油、亮泽的成分。

把橘子皮和油腻腻的刷子一起揉搓,用清水冲净,刷子就会变得洁净。

如果汤锅里的油污厚重,可以将橘子皮切碎,放入锅里用水烧开一会儿,待水温接近室温的时候将锅里的水倒掉,再趁热用新鲜的橘子皮擦拭锅的内壁,油污就会被清除掉了。

油污用淘米水去除

淘米水是很好的去污剂,安全环保又滋养皮肤。做饭时将淘米水收集起来,把沾满油污的锅或餐具放在淘米水中浸泡,即使不用洗洁精也能洗净油污。

煮奶不粘锅的小窍门

要解决煮奶时粘锅的问题,可以在煮牛奶前,先用凉水或冰水涮一下锅,再把牛奶倒人,这样牛奶煮好后就不会粘锅。

铝锅巧除渍

◆除焦用木炭擦

用铝锅蒸煮食品烧焦了,可将碎木炭装在小布袋中,带水擦洗铝锅锅底,不论锅底焦迹厚薄和面积大小,均可除掉。

◆除黑渍趁余热

使用铝锅后,趁其还有余温,取软布蘸适量去污粉擦拭,可以很容易地除去黑渍。

◆除黑渍煮点果皮水

铝锅使用一段时间后,锅底会出现黑色的污渍。要清除这些污渍,可以用铝锅煮点果皮水,如香蕉皮、苹果皮、葡萄皮等,煮过几次后,大部分黑渍可以消除。

在新购铝锅之后,为了防止腐蚀,先炖煮富含油脂的食品,如肉类等,然后

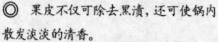

◎　果皮不仅可除去黑渍,还可使锅内散发淡淡的清香。

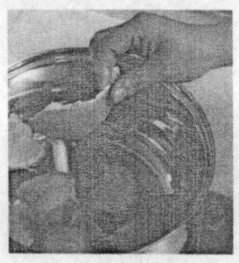

再做他用。

沙锅除油污

◆米汤泡

煲汤之后,沙锅里如果残留比较厚的油污,在沙锅里倒入一些米汤,浸泡 5 分钟烧热,再用刷子把锅里的污垢刷净,最后用清水冲洗便可除去油污。

◆茶渣擦

如果沙锅上沾染了油污,用喝剩的茶叶渣在沙锅的表面多擦拭几遍,就可以将油垢洗去。

火锅的保养窍门

◆防生锈涂食用油

久置不用的火锅,用软布擦净、抹干,并在表面薄薄地涂抹一层豆油、花生油等食用植物油,然后,置于盒内,放在通风较好的地方。

◆除锈用盐和醋擦

火锅内的锈迹不但会影响食物的味道,若是铜锈还有毒,如果发现有锈迹,用布蘸加了盐的食醋擦拭,即可把锈刷洗干净。

◆保持光泽用牙膏轻拭

火锅使用后及时清洗,遇有指印、油污,可用软布蘸一点儿牙膏轻轻擦拭,即可恢复火锅表面的金属光泽。

菜刀除锈巧用土豆片

用土豆片或萝卜片,蘸一点细沙或烟灰来擦洗菜刀,刀锈立刻就可去除。平时菜刀用毕,涂一点生油或用姜片擦干,可以防止生锈。

不锈钢厨具去渍防锈

◆用萝卜头反复擦

用做菜剩下的萝卜头反复擦拭污渍处,便能除去。比较顽固的污渍,用萝卜头蘸一点儿去污粉擦,效果很好。

◆淘米水喷擦

把淘米水喷洒到要清洁的不锈钢器物上,然后马上用棉质抹布擦拭,对食品污渍要多喷些淘米水。

菜板保养 4 妙招

◆菜板腥味巧除

先把菜板浸在淘米水中,稍微浸泡一会儿,然后在水中加入一些盐擦洗菜板,最后用热水冲洗一下,腥味便可以除掉了。

◆菜板美白术

把菜板洗净平放,用抹布盖住,将稀释好的漂白剂倒在抹布上,放置 10 分钟后再清洗,菜板就变得洁白如新了。

◆塑料菜板巧洗印痕

用海绵蘸漂白剂,挤压着洗刷塑料菜板,再用水冲洗,即可将菜刀留下的印痕洗净。

◆杀菌防干裂用盐水泡

先把木菜板用开水烫一遍,然后放入浓盐水中浸泡几小时,取出阴干,不但可以杀菌,而且可防止干裂。

木勺黑斑用醋擦

厨房中的木勺、木铲,用过一段时间上面会出现黑斑,洗不掉时不要用手去抠,可在清水中加入适量醋擦拭,即可去污。

刀叉、汤匙用小苏打去污

金属餐具上的污点,清洗时用一块柔软的布,蘸上一点小苏打,在污点处轻轻擦拭即可。

清洗菜板用牙刷

菜板用完后,总会残留一些残渣,用普通的洗碗布不易清洗,清洗时不小心还会碰伤手。找一把旧牙刷,在泡有洗洁精的水中进行刷洗,最后用清水冲净即可。也可以用牙刷蘸一点盐,就可以轻松刷掉残留的污物。

洗菜筐网眼用牙刷蘸醋刷

厨房用的塑料篮、筐,网眼里积存了一些污垢和油垢,不易冲洗干净。可取

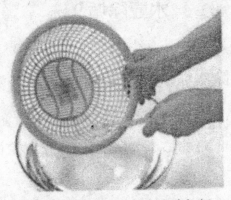

旧牙刷蘸一点醋轻轻刷洗网眼,用水冲洗后便会光洁如新。

洗菜筐除菌

要清洗多缝隙的洗菜筐,可以先在洗菜筐中加满水,再倒入相应比例的漂白剂,然后浸泡一夜,就可以把附在缝隙里的细菌和脏东西全部洗掉。
如果洗菜筐不是很脏,可以视情况缩短浸泡时间。

和面盆面垢清除的窍门

　　和面盆在使用了一段时间以后,面盆边缘逐渐积存着许多坚硬的面垢,不易除去,若能将面盆放在大蒸锅内让锅内水汽熏蒸一会儿,便可轻松除去面垢。这个方法可以用于擀面杖、搓面板等粘有面垢的工具。

　　在清洁面垢的时候,可以顺手将沾有油污的筷子、杯子、碗碟等工具一同蒸烫,洗涤、消毒同步完成。

橘皮煮汁擦碗柜

　　晒干的橘子皮积攒起来,用水煮,煮出的汁液可以代替清洁剂,用它来擦拭碗柜或者玻璃门,不仅能有效去除油污,而且会留下橘子的清香味道。

　　橙油是很多知名厨房清洁品牌的首推原料之一,因为除油力强、不伤手、气味清新而广受欢迎。自己在家不花钱也能取得同样的效果,何乐而不为呢?

水壶除垢 9 法

◆热胀冷缩法除水垢

　　将空水壶放在炉上烧干水垢中的水分,看到壶底有裂纹或烧至壶底有"嘭嘭"响声时,将壶取下,迅速注入凉水。重复 2 ~ 3 次,壶底的水垢就会因热胀冷缩而脱落。

◆煮鸡蛋除垢法

　　烧开水的壶,用久了积垢坚硬难除。可用它煮上 2 次鸡蛋,会收到理想效果。

◆土豆皮除水垢

铝壶或铝锅用一段时间后,会结有一层水垢。将土豆皮放在里面,加适量水烧沸,煮 10 分钟,即可除去水垢。

◆小苏打水除垢

将 1 茶匙小苏打放入水壶内,装满水,放在火上加热,10 分钟以后,倒去苏打水,用刷子轻刷壶体内侧,水垢即除。

◆装蛋壳摇晃去垢

水壶中有了水垢,可放入一把捣碎的蛋壳,加点清水,左右摇晃,即可去垢。

◆可乐除垢

把可乐倒入水壶里,放上 1 天再清洗,这样能够清除壶里面的残垢,让内部

◎ 山芋洗净削皮后放入水壶中煮,效果更佳。

变得清洁。

◆电热水壶的清洁

把 500 毫升食用白醋倒入水壶,浸泡 1 小时倒出,用湿布擦去残留的沉淀

物,再将清水注入水壶烧开后倒掉,用清水冲洗 4~5 次,水壶就可以再次使用。

◆丝瓜络防结垢

取适量丝瓜络放在水壶内煮水。一段时间后,取出丝瓜络,洗去上面积累的水垢,重新放入水壶,便可有效防止水壶生垢。用一只干净的口罩代替丝瓜络,也可吸附水垢。

◆煮山芋防止积垢

在新水壶内,放半壶山芋,加满水,将山芋煮熟即可。以后再烧水,就不会积水垢了。水壶煮过山芋后,内壁不要擦洗,否则会失去除垢作用。

茶渍用橘子皮蘸盐擦

在橘子皮内面撒上少量盐,然后擦拭有茶渍的瓷器。盐可去除茶渍,橘子皮使瓷器光亮。

茶渍或咖啡渍用小苏打擦

清洁茶杯或咖啡杯中的污渍时,先用湿布蘸上一点儿小苏打粉,然后将湿布在杯内反复进行旋转,即刻就可将杯子内的茶渍或咖啡渍清洗掉。

经常使用的杯子,即使不用来装茶水或者咖啡,也会在杯壁杯底上留有水垢,用小苏打同样可以清理干净。

铝箔纸让剪刀越剪越锋利

剪刀变钝了,找出家里烧烤或者包装用的铝箔纸,用铝箔纸包裹住剪刀反复剪几次,就能让剪刀变得锋利。

厨房除湿气有窍门

在厨房中煮饭、烧水，难免会积聚湿气。用一个碟子装些小苏打粉或洗衣粉，摆在厨房阴湿的角落，就能吸附厨房的湿气了。

注意洗衣粉不要放在米、面等粮食附近，以防沾上洗衣粉味道。

用洗衣粉吸附湿气，过一段时间会结块，不要扔掉，还能用来接着洗衣服。

蕨类植物吸附厨房有害气体

厨房里的温度、湿度变化较大，应选择一些适应性强的小型盆花，如小杜鹃、小型龙血树、蕨类植物以及小型吊盆植物。这些植物不但能美化厨房环境，

◎ 在厨房放一盆龙血树，不但能美化环境，还可以吸附厨房中的有害气体。

还能吸附厨房中的有害气体，有利人体健康。

蟑螂巧驱赶

蟑螂的生命力极其顽强，只要一点水就能存活，所以收纳餐具时要完全擦干。

厨房里最讨厌的就是蟑螂，把芥末粉包在纸包里，放在蟑螂经常出没的碗柜中，蟑螂会避而远之。

把鲜黄瓜放到碗橱里，蟑螂就不会接近碗柜了。放两三天后，把黄瓜切开，散发出来的黄瓜味能继续驱除蟑螂。

在厨房内放一盘切好的洋葱片,蟑螂闻到气味会立即逃走。

厨房去异味最快的 5 招

◆煮醋除异味

在锅中加入少许食醋加热,待食醋蒸发,厨房中各种饭菜的异味即可消除。

◆垃圾除臭洒醋水

取 20 毫升食醋和 10 毫升水混合。把旧报纸铺在垃圾筐的底部,在上面喷洒对好的醋水,可避免垃圾发出臭味。

◆碗橱怪昧用木炭吸

彻底清洗碗橱后,用小盘盛些木炭放在碗橱内,由于木炭有很强的吸附气味的能力,碗橱里的怪味就被吸掉了。

◆去油腥味烧残茶

煎炸食物后,室内的油腥味一时去不掉,可将干残茶叶放在烟灰缸里燃烧熏味,即可去除。

◆用小苏打水去除

发现厨房用具上生霉并有霉味时,在水中放 1 大匙小苏打,搅拌均匀,用抹布蘸小苏打水,仔细擦洗即可。

正确保养电磁炉

清洁时,一般用温和的洗涤剂清洗,切忌用腐蚀性强的清洗剂清洁。

◎　将牙膏分散地涂在电磁炉面板上，用软布擦拭均匀，再用抹布擦干净，面板即可光亮如新。

不要将电磁炉放置在潮湿的地方以及高温的环境中使用。

不要用金属棒、铁丝等插入进风口或排风口，以免损坏风机或触电。

放置时要保持水平，侧面、背面与墙至少有 10 厘米的距离，以利于通风散热。

铜、陶瓷、玻璃等锅具不能使用电磁炉。

电磁炉的面板脏时或油污导致变色时，可先用软布蘸牙膏擦拭，再用抹布擦干净。机体和控制面板脏时，用柔软的湿抹布蘸洗洁精就能擦干净。

如何展开弯曲的塑料砧板

用双手握住砧板两端，在火上烘烤一会儿，再用力反方向扳直，然后放在平处，用重物压住，冷却后弯曲的砧板就平展了。

菜板的使用和保养

菜板要选择通透性好、木质细腻，不伤刀又不易起屑的为好。使用时也要注意保养：

菜板用完后，要刮洗干净、竖起，用方巾盖好，放在通风处。

新菜板使用前需用浓盐水浸泡数日，这样能使菜板保持湿润，不燥、不裂、结实耐用。

碗底做"磨刀石"

刀不锋利了,如果手头没有磨刀石,可以用碗底代替磨刀石。把刀刃打湿,抵住碗底,像磨刀一样来回磨几次,就能恢复刀的利度了。最好戴上纱布手套进行操作。

微波炉加热有讲究

用微波炉加热食物时最好用专用器皿,金属及搪瓷容器绝对不能用微波炉。带金边的陶瓷器皿也不能用高温加热,这类器皿有的会损害微波炉,有的加热后特别烫手,还有的不耐高温会发生裂爆,造成危险。

防止玻璃器皿炸裂的窍门

在用玻璃壶或玻璃杯盛装热水时,很有可能会炸裂。只要在使用这些玻璃器皿前,先放在冷水中逐渐加热煮沸一下,再自然冷却,以后就可以避免这种炸裂的现象。

卫生间

水龙头用牙膏擦亮

先在水龙头上洒点水,再用牙刷或海绵蘸一点儿牙膏擦拭,水龙头就会亮洁如新。牙膏不要涂得太多,涂太多反而会影响擦拭效果。

洗手台用小苏打或盐擦

在洗手台上的污垢处,撒些小苏打粉或盐,等 5～10 分钟,待污垢溶解后,用抹布及清水刷洗就可以消除污垢了。

瓷砖缝清理巧用方便筷

　　把一根方便筷包在抹布里,用方便筷的尖头沿着瓷砖缝轻推,缝隙里的污垢即被清理掉了。也可使用具有漂白作用的去污剂,涂在发霉的地方,等约 30

◎　用抹布包方便筷清理瓷砖缝隙时,为防止抹布滑落,可用另一只手拉住抹布,配合清理。

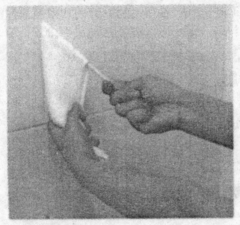

分钟后,再用刷子或牙刷刷洗干净。

镜面亮洁的 6 妙招

◆水印巧擦除

　　用喷雾式的玻璃清洁剂在镜面上喷出一个大大的 X 形,然后把拧干的抹布折好,由里向外顺着一个方向擦一圈,等到七成干时,再用干抹布擦一遍,水印即被清除,镜子就变得光亮了。

◆旧报纸擦除污渍

按 1：2 的比例配制醋水,用旧报纸蘸醋水擦拭镜面,纸上的油墨可以把顽固的污渍擦走,还可以让镜面光亮如新。

◆涂刮胡膏除雾

在镜子上涂一层刮胡膏,10 分钟后用干抹布擦拭。这样,镜子表面就形成了一层薄膜,让水汽沾不上去,从而达到除雾的功效。涂沐浴露或用肥皂擦,除雾效果也很好。

◆土豆擦除水雾

把土豆切开,切口朝内在镜子上擦一遍,等镜面干燥后,再用干抹布擦拭,镜子就不容易沾雾气了。

◆防水雾巧用烟蒂

用水把镜子淋湿,取五六根烟蒂,用有烟叶的部分来擦镜子,擦过一遍后再用干抹布擦拭。

◆酒精擦镜子

用布蘸一点白酒或酒精,稍用力在镜子上擦一遍,再用干抹布擦拭。擦过后,镜子既干净又明亮。

另外,镜子平时需要保养,不要用湿手去摸镜子,以免潮气侵入,使镜面的光层变质发黑。

浴缸边巧洗白

陶瓷浴缸或洗手池边的污渍,只要用棉布浸上未经稀释的漂白水,铺在浴缸边,三四个小时后,用清水一冲,便洁白干净了。漂白水对皮肤有伤害,一定要注意清洗干净。

硅胶边条防霉法

浴缸墙壁边缘的硅胶边条,常因潮湿而发霉,因此每次沐浴后都要用抹布擦干保持干燥,并喷上酒精消毒,可以很长一段时间不再出现黑霉。

头发用捞鱼网捞出

泡完澡后要清除浴缸中的头发等脏物,用捞鱼网最方便。像捞金鱼一样,将捞鱼网在水中顺势移动,就可轻易将水中的头发和污垢捞得干干净净。

墙壁用热水喷淋除污

墙壁瓷砖上的污垢,先用热水喷淋,再用抹布擦洗,可以不费力就擦干净。或是趁着洗完澡,墙壁上有热气的时候,也能轻松擦掉墙壁上的污垢。

如果每天都经常注意,浴室的墙壁就会一直保持干净,打理起来不麻烦。

旧丝 ▌清理细缝

水龙头的缝隙处不好清洁,可以将水龙头主体清洁干净,再在水龙头上涂一点儿牙膏,把旧丝袜蘸水拧干,套在水龙头根部,左右拉动几次,就能将细缝处清洗干净。

浴帘巧用漂白水洗

按比例把漂白水用一盆清水稀释,把浴帘放在其中浸泡,第二天浴帘便会光洁如新了。取出后用清水洗净就可以了。

排风扇借助旧牙刷清洁

排风扇的清洁比较费劲,可以先用打火机直接烤热旧牙刷的刷柄,趁热将刷头向内折一定角度。再把折好的牙刷绑在木棍上,就可以轻松清理天花板上的排风扇口了。

淋浴喷头用醋疏通

水盆中倒上半杯醋,放上少量热水,把淋浴喷头浸泡在醋液里。约半小时后,用旧牙刷轻刷,喷头就出水顺畅了。

马桶清洁 7 招

◆巧用剩肥皂

可以用一块纱布或旧丝袜做一个小口袋,将用剩的小块肥皂装入扎紧挂在马桶的水箱内。肥皂溶在水中,便可起到清洁马桶的作用。

◆剩可乐浸泡除黄渍

将喝剩的可乐倒入泛黄的马桶中,浸泡 10 分钟左右,污垢一般便能被清除。若马桶污垢仍无法彻底清除,可进一步用刷子刷除。

◆圈状污渍巧去除

对付马桶里一圈一圈的污渍,可把卫生纸贴在污渍处,喷上洁厕灵,10 分钟后,用刷子就能轻松刷洗干净,最后用清水冲净即可。

◆坐垫用醋擦

马桶盖和坐垫脏的时候,可用布蘸醋来擦洗,然后用清水擦拭,反复几次即可。细缝处只要使用旧牙刷就可彻底刷洗干净。

◆旧丝袜清除马桶污垢

找一根木棍或旧筷子,把旧丝袜缠绕木棍的一头,用绳绑紧。将洁厕灵喷在丝袜上,用来擦洗马桶,就能彻底清除马桶内的污垢,连下方的排水口处也能擦干净。

◆洁厕灵当疏通剂

在马桶中倒人一些洁厕灵,把马桶盖盖上闷一会儿,再用水冲洗。每隔一周就用这种办法清理一次,能使马桶保持通畅。

◆自制弯头刷清理死角

选择有角度的弯头刷,来刷洗细缝和死角部位。由于刷头有角度,很容易就能将马桶内部上方的凹槽清理干净。

浴用小件巧清洗

浴室的湿气大,通风条件又不好,一些浴用小件经常会接触到肥皂渣、人体上的污垢等而形成黑垢,滋生细菌。塑料的小件如凳子、洗脸盆等可用海绵蘸取漂白剂和洗涤剂清洗,那些木质的浴用小件最好不要使用漂白剂,用刷子加清洁剂擦洗即可。

孩滑垫除霉

将用久的浴室防滑垫放在稀释过的漂白水里,浸泡 5～10 分钟,再进行刷洗就可以了。每次使用后要注意擦干,防止其发霉,并定期进行消毒处理。

边角清洁旧毛巾帮大忙

用拖布拖地很沉,容易腰酸背疼,用旧毛巾当抹布擦地,干净、干得快、省时间,比用旧化纤料效果更好。

地漏防堵塞妙招

将地漏上的排水滤网取下,清理干净。把旧丝袜剪短,套在排水滤网上,这样就能避免头发等杂物堵塞排水口。

地漏用热水除垢

地面排水口先浇淋热水,再涂上稀释过的漂白热水,待污垢脱落后,再以清水冲洗即可。

除潮排湿 3 招

◆绿植除潮

卫生间里养波士顿蕨、一叶兰、绿萝等，可吸收卫生间内的潮湿空气。

◆小苏打粉除湿

小苏打粉可以吸收湿气，结块后还可以用来刷洗浴缸、洗手台、脸盆等。

◆洗衣粉除湿

打开洗衣粉袋口放在需要除湿的角落，即使结块后一样可以用来洗衣。

香熏灭菌

最重要、最有效的灭菌方法是空气流通。没有窗户的卫生间可以用卫生香、檀香，但不要点蚊香。

消毒用漂白水

按 1:49 的比例稀释漂白水，即把 1 份漂白水与 49 份水混合。用浸湿的抹布来清洁马桶盖、坐垫和外面，再用清水擦净。最后把漂白水倒入马桶内消毒，彻底消灭残留细菌。

按 1:99 的比例稀释漂白水，擦拭水龙头、淋浴喷头、浴缸、淋浴房、洗手盆、台面及墙面，效果都很不错。

防霉除霉诀窍

◆漂白水除霉

已长出的霉菌,可以用漂白水来清除。将漂白水用水稀释,用棉花棒蘸稀释了的漂白水涂在发霉的地方,30 分钟后再用牙刷刷,瓷砖就能恢复原来的洁白与光亮。

如用漂白水还清理不掉霉菌,可用较细的砂纸磨,再用消毒酒精擦拭。酒精有杀菌效果,对清除霉菌很有效。

◆涂蜡防霉

厕所里环境潮湿,长时间不打扫,瓷砖的接缝处容易出现墨绿色的小霉点。可以在彻底清理一遍卫生间以后,在瓷砖的接缝处涂上蜡,这样会大大减少发霉的可能性。一定要在瓷砖接缝处干燥时再涂蜡。

淋浴拉门轨道巧清洁

若浴室的门是拉门式的,用醋每周清洁拉门即可除尘杀菌,但其拉门轨道常常会被忽视,这里最容易滋生细菌。可将醋倒入门轨中,静置一夜,再用清水冲洗干净,便能彻底清除污垢和细菌了。

卫生间 10 招除臭除异味

◆干茶叶驱异味

将泡过的茶叶渣晾干,装在布袋中,放在卫生间里,异味很快就会消失。

◆点燃的火柴去马桶异味

若异味是由马桶内发出来的,可点燃一根火柴丢入马桶内,气味会很陕消除。

◆咖啡渣除臭

咖啡渣既能吸湿,又能除臭,放进纱布袋、丝袜或棉袜中,就是一个小型除臭包。

◆柠檬片除异味

柠檬是最好的除臭剂。将鲜柠檬切成片,干燥后放入器皿中置于卫生间内,可以防霉除异味。

◆烧橘子皮除臭

将晒干的橘子皮,在卫生间燃烧熏烟,能除去恶臭。

◆小苏打吸异味

敞口放一袋小苏打在卫生间地漏附近,可吸收异味。

◆香醋除臭

将一杯香醋或一盒开盖的清凉油放在浴室里,臭味便会自然消失,可每周换一次。

◆干花留香

干燥的花、叶、植物、木香都是很好的储存香气的物品,其香气一般能够保持两周以上。将干花插入瓶中,摆放在卫生间里,每隔一段时间喷一点香水即可。

干花不但可以留香,还能对浴室起到装饰效果。

◆清凉油除臭味

在卫生间的通风干燥处放置 2~3 盒启盖的清凉油,不仅臭气可除净,还使人有习习清凉之感。

◆小块香皂制作芳香剂

将剩下的小块香皂放进旧丝袜内,用橡皮筋捆实,便可变成一个小香袋。当作厕所芳香剂使用,发挥适当的除臭功能。当作衣橱芳香剂使用,有增香防蛀的功能。

◎ 泡过的茶叶可以晾干后放在卫生间用来除臭。

居室

扶手、坐垫是沙发清洁的重点

布艺沙发其织物纤维容易滞留灰尘和脏物,而且还容易吸潮。入夏以后,最好先彻底进行一次清洁,先用干毛巾拍打,把浮尘去掉,再用湿毛巾擦拭布面。如果沙发表面沾有污渍,要用干净抹布蘸水或沙发专用清洁剂从外向内抹拭,直至去掉污渍,但切勿大量用水擦洗,以免水渗入沙发内层,造成沙发里边框架受潮、变形。

如果家里有吸尘器,除尘效果会更好,沙发的扶手、坐垫和缝隙都是需要重点清洁的部位。必须把清洁剂彻底洗掉,否则更容易蒙上污垢。天气晴朗时,不妨将可拆下来的坐垫、靠垫等拿到阳光下暴晒,以消除湿气并杀死霉菌。重要的是每周一次定期除尘。

给小东西除尘的诀窍

把旧丝袜套在吸尘器的吸口,用绳子或橡皮筋绑紧。在清理放杂乱小东西的地方时,用这个改造过的吸尘器,就不会把小东西也一起吸入了。

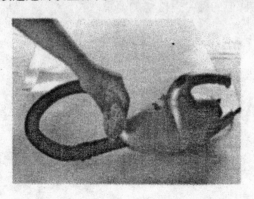

灯罩巧除尘

用纸、布、木头或竹子制成的灯罩,可用刷子除去灰尘。用玻璃等材料制成的灯罩,用抹布擦拭反而会越抹越脏,最好将灯罩取下,浸入洗涤液中擦洗,即可光亮如新。

凉席防变色用醋擦

戴上橡胶手套,将抹布在热水中浸湿拧干,再在抹布上滴几滴醋,沿着凉席的缝隙擦拭,能预防日晒造成的变色。

床上灰尘巧吸净

将旧腈纶衣物洗净晾干,拿它在床上依次向一个方向迅速抹擦,床上的浮尘就会吸附在上面。洗净即可再用。

毛毯用盐水洗

用盐水洗毛毯,效果比干洗好。大部分混纺的毛毯都可以用洗衣机洗,但最好是先看一下毛毯上的标签对洗涤的要求。

窗明几净 7 招

◆牙刷刮除窗框尘土

先用牙刷将尘土刮松,刷到窗框中间,再使用吸尘器或把尘土清理干净。

◆玻璃亮洁用报纸擦

把报纸揉成一团,在玻璃上均匀地喷一层热水,再用报纸擦拭,玻璃很快就擦净了。

◆死角细缝的清理用筷子

窗框角落或窗轨细缝的污垢,用抹布将 1 根筷子包住来清理,就很容易清理干净了。旧筷子也可用牙刷柄代替。

◆内外一起擦纱窗不变形

擦纱窗时,用两块海绵内外一起擦,就可以避免纱窗变形,而且还能提高擦拭效率。

◆纱窗清洁敷湿巾

取下纱窗,先在纱窗的一面贴上旧报纸,另一面贴一层纸巾,向纸巾上喷清洁剂,约 10 分钟后,取下纸巾用清水擦一遍,纱窗就干净了。

◆百叶窗巧用手套擦

先戴上橡胶手套,再戴上绒线手套;在手套的手指部位蘸上小苏打粉,把手指插到百叶窗的叶片间,夹住叶片来回擦拭,省时又省力,很快就擦干净了。

◆用专用玻璃窗刷来擦

用有磁性的专用玻璃窗刷来擦玻璃,两片刷片共同游走,可同时清除玻璃窗两面的污垢,一次完成窗户两面的清洗。

墙壁美白 4 窍门

◆脏手印用橡皮擦

电灯开关和墙壁上的脏手印,只要用橡皮轻轻擦就能擦掉。

◆墙纸巧用橡皮擦

墙纸要定期进行吸尘清洁,有了污垢也要及时擦去。耐水的墙面可用水擦,清洁后用干毛巾擦干即可。不耐水的墙面可以用橡皮擦,或用毛巾蘸一点儿清洁液拧干后轻擦。

◆圆珠笔印用酒精擦

墙壁上的圆珠笔印,用抹布蘸一点酒精,轻轻擦拭就能擦掉。

◆脏污用牙膏美白

用抹布蘸点儿牙膏,轻轻擦,再用干抹布擦净,墙面就恢复白净了。

毛巾柔顺用食醋泡洗

先用肥皂或洗衣粉洗净毛巾,漂洗后,再用半杯食醋浸泡10分钟,揉搓一遍就可以了,毛巾就会柔软不变硬。

毛巾消毒用水煮

毛巾用完后要及时清洗干净,每星期用开水煮10分钟消毒,煮沸时毛巾要全部浸在水中,晾挂处要通风,最好能及时烘干或晒干。

皮质家具去尘巧用棉布

皮质家具的保养,最关键在于保持真皮表面的毛孔不被灰尘阻塞,擦时可以用纯棉布或丝绸沾湿后轻轻擦拭。

雕花家具除尘用软毛刷

实木家具上的雕花,容易积有灰尘,在清洁时,可用软毛刷来轻轻刷,即可清除每个细缝中的灰尘。

鼠标用小苏打擦净

用湿布蘸一点儿小苏打粉,在鼠标表面轻轻擦拭,就能把鼠标表面的汗渍、手印都擦干净。

键盘用软毛刷除尘

用软毛刷轻刷,再把一块很薄的布放在键盘上,用硬纸片将软布压到键盘缝中,很轻松就能清理干净了。

地热采暖保养地板诀窍

◆缓慢升温避免开裂

首次启动地热采暖系统时，要进行缓慢升温：第一天水温 18℃，第二天 25℃，第三天 30℃，第四天才可升至正常温度，即水温 40℃左右，地表温度 28～30℃。这样就可以避免地板因膨胀而开裂扭曲。长时间后再次启动时，也要像第一次使用那样，严格按加热程序升温。关闭地热系统，地板的降温过程也要循序渐进，以延长地板的使用寿命和使用周期。

◆家具防损伤应垫保护层

粗糙、笨重和硬度高的家具等物品，放置在木地板上时，应垫好保护垫层。

◆使用有腿家具

地热用户要尽量使用有腿家具，以免局部聚热损坏地板。

木质地板巧清洁

木地板切忌用湿拖把直接擦拭，应使用木质地板专用清洁剂进行清洁，让地板保持原有的温润质感与自然原色，在使用地板清洁剂时，应尽量将拖把拧干再擦拭。若是表面未经上光处理，因不宜接触水，地板清洁后，可以再上一层木质地板蜡保养剂。但一定要等地板完全风干后再上蜡，以免蜡层无法完全附着于木质地板上，反而使地板出现一道道的白斑。

实木地板清洁 10 诀窍

◆灰尘用干拖布轻擦

实木地板上的灰尘或脏污,可用干拖布或拧干的湿拖布擦拭。不要用水冲洗,不要用带水的拖布拖地或用碱水、肥皂水擦洗,以免破坏油漆的光亮度、损坏漆膜。

◆烫痕用软布蘸家具蜡擦

若地板层的表面被烟头烧损,用浸了家具蜡的软布用力擦拭,可恢复光亮。

◆用冰块清理口香糖

把冰块放在口香糖上一会儿,使之冷冻收缩,用硬纸片轻轻就可将其刮起,最后用干抹布蘸上适量的地板清洁剂擦拭。

◆快速擦拭药物、饮料、颜料

若是药物、饮料或颜料洒在地板上,必须在污迹未渗入木质表面前加以清除,先用干抹布擦净,再用浸蘸了家具蜡的软布擦拭。

◆油迹用干抹布蘸浓茶汁擦

地板上的油迹,可用干抹布蘸少量浓茶汁擦拭。

◆黑色胶痕用软布蘸酒精擦

油蜡实木地板上的黑色橡胶磨痕,可用软布蘸低浓度的酒精或少许白酒除去。

◆牛奶加醋擦亮地板

过了保质期的牛奶不要扔掉,在牛奶中加少许醋来擦拭地板,不但可以去污,而且能擦得很光亮。

◆色拉油使地板增光

擦地板时,在水中加几滴色拉油,可使地板非常光亮。

◆玻璃碎屑用胶带和湿肥皂除净

散落在地板上、不易清扫的玻璃碎屑,可先用黏性胶带粘起,再用湿肥皂按擦,玻璃屑就会粘在肥皂块上,随时将它刮下再按,直到清除干净为止。

◆撒盐清除蛋迹

对地板上清理不净的蛋液,可在有蛋迹处撒上一些盐,过 10~15 分钟后,即可容易除去。

地板巧除菌

对地板基本清理干净之后,在地板表面喷上少许的杀菌剂,再用拧干的干净拖布擦拭干净即可。

地板缝用牙签清理

拿牙签沿着地板缝轻轻划,就可把塞在地板缝里的灰尘或食物残渣清理干净。再用旧牙刷或抹布蘸地板清洁剂直接刷洗,用清水擦净即可。

地面墨迹巧用食醋除

如果是混凝土地上被洒上了墨迹,可先用抹布将墨汁吸干,再将食醋倒在墨迹上,过 20 分钟后用湿布擦洗,就能除去墨迹。

混凝土地板的墨迹,清理的时间越早,越省事。如果手头没有抹布,可以用报纸、面粉等先做初步的清理,再用食醋进行清洁。

地砖接缝的美白

即使天天清洁地面,白色地砖的接缝时间一长也会变色,影响美观。可以用毛刷蘸洗衣粉水仔细刷洗,接缝就会恢复原来的白色了。

浅色复合木地板用淘米水擦

淘米水清洁能力很强,用来清洁复合地板既节省又速效。用抹布蘸一点淘米水,直接在地板上擦拭,或将淘米水均匀喷洒在木地板上(不宜太多),5 分钟后用干抹布擦拭,浅色复合木地板就会洁净许多。

橘子皮水代替清洁剂

用 2000 毫升水煮 6 个橘子皮,煮成白色乳液后再对入等量的冷水,把抹布在其中浸透,拧干后就可以用来擦地板了。但是,容易变色的白色地板最好不要使用这种方法。

如果橘子皮煮的水没有用完,可以装瓶下次再用,节省又便利。

将橘子皮煮制的水装进喷瓶里,擦地、擦窗的时候随用随喷。

地板养护

◆潮湿闷热强制通风

遇到潮湿闷热的天气,除了用干布及时吸干明水之外,还可以打开空调的除湿功能或打开风扇强制通风,让地板在一个干爽的环境中自然干燥。

◆人工加湿

防止地板干裂,可使用加湿器来调节室内湿度,或在暖气上放一碗冷水,以使室内的相对湿度保持在 40% ~ 50% 。

◎ 用软毛刷蘸适量冷水刷洗地毯,不仅可以除尘,还可以"抓获"头发等不易看见的碎物。

地毯清洁 6 招

◆除尘要顺着编织方向

地毯的清洁工作首先从除去灰尘开始,可用吸尘器或软毛刷除去地毯表面的灰尘,注意应当顺着地毯毛的编织方向清扫。

◆避免污渍扩大用冷水清洗

地毯上滴有蛋清、牛奶、冰淇淋等,一定要使用冷水洗刷,因为温热水只会使污渍扩大,不易除去积垢,还会使地毯变形。

◆戴橡胶手套巧拾头发

地毯上的头发等碎物很难清理,戴上橡胶手套在匕面来回擦,就能粘住头发。

◆借用橡皮筋清理灰尘

保鲜膜用完,留下中间的纸筒,在上面套上几个橡皮筋,在地毯上滚动。不易清理的头发和灰尘,就都粘在橡皮筋上了。把橡皮筋拿下,用水洗净可以下次再用。

◆茶水渍用毛刷蘸清洁剂刷

对于地毯上的茶水、咖啡、酱油或啤酒等污渍,可用质地稍微硬一点的毛刷,蘸取适量的地毯清洁剂反复刷洗,然后再用清水刷洗干净,晾干即可。

◆黏稠物用餐巾纸吸掉

番茄酱、酱汁等黏稠物洒到地毯上,可利用餐巾纸之类的吸水性强的物体把污渍吸收、除净,之后用毛刷反复刷,清水洗净即可。

地毯的日常清洁保养

避免受到强烈阳光的直射。

每天用笤帚或吸尘器,除去地毯表面的灰尘。

每周至少 3 次,用电动吸尘器吸除纤维缝隙问所积存的灰尘。

每月 1 次,用地毯专用清洗剂约 2 杯溶于温水中,用布蘸取,揉擦地毯纤维。

地毯凹痕用热毛巾"敷"平

若地毯上出现了受家具重压留下的凹痕,可以将浸过热水后拧干的毛巾放在上面,过 10 分钟后,再用吹风机和细毛刷,一边吹一边刷,凹痕自然就会消失。

小苏打除地地毯异味

只需要临睡前把小苏打撒在地毯上,第二天早晨用吸尘器吸净,就能除掉地毯上的异味,宠物的气味也能消除。

实木家具痕迹巧修复

◆烫痕用软布蘸浓茶擦

实木家具被烫后会出现难看的差色烫痕。在这种情况下,可以用软布蘸少许浓茶或者是花露水轻轻擦拭,这样烫痕就可以得到很大的改善。

◆浓咖啡快速遮盖浅痕

木制家具的刮痕,可冲杯浓浓的咖啡,放冷后涂抹在刮痕处,就不太容易看出来了。

◆鱼肝油修复细微擦伤

实木家具出现细微擦伤时,可以涂上鱼肝油,过一天后再擦拭就行了。这样既能修复痕迹,又可使家具表面光滑。

◆水印用微热电熨斗熨除

将湿布盖在水痕印上,然后用微热电熨斗小心按压数次。

◆焦印轻擦后涂蜡

烟头烟灰或未熄灭的火柴等燃烧物,有时会在家具漆面上留下焦印,若只是漆面烧灼,可在牙签上包一层细硬布轻轻擦抹痕迹,然后涂上一层蜡,焦印即可除去。

◆蜡笔和指甲油修复刮痕

家具若有细微的印痕,先用抹布擦净灰尘,再用色调吻合的蜡笔在上面涂抹,最后涂一层透明指甲油,就修复好了。

◆熨斗修复凹痕

先用湿布擦拭,过一阵看看是否因吸收水分而稍微膨胀,如果没有变化,可在家具上垫上湿布,用熨斗低温熨,使凹进去的地方膨胀起来,然后用细砂纸磨平即可。

竹制家具防虫蛀

新购制的中小型竹器,如篮子、凉席等制品,最好经高温密封蒸汽重蒸处理,蒸2~3小时,就可彻底将竹器中隐藏的昆虫、微生物杀灭。也可用开水加一定的食盐将竹器浸泡1~2天,也能防止发生虫蛀。

一般竹制家具应置于干燥、通风的地方,暂时不用的竹制器具更应洗净、晾干,然后搁置干燥、透风处保存。

藤器翻新小诀窍

先清洁擦干,后用砂纸打磨藤器家具的外藤架,使表皮去除污渍并且恢复光滑,再上一层光油保护,即可焕然一新。

当藤制家具受潮下垂时,要想办法减轻负荷,如果是座椅,可以在下面隔着藤面塞入方凳或收纳箱等,帮助撑起藤面,使其缓慢收干不变形。

藤类家具保养窍门

长时间的阳光照射会使白色藤制家具泛黄,不妨用半透明的白色薄纱窗帘隔开阳光直射,保护藤制家具的同时,也不影响室内采光。切记,藤制品不可靠近火源、热源,藤制餐桌一定要记得放上隔热垫。

在南方,多让藤制家具去"吹风",能够避免霉斑生成。但是不宜暴晒,一潮一干的反差,很容易加速家具燧,变形。

箱柜除湿有妙招

◆卷旧报纸除湿气

把几张旧报纸卷起,分别放入壁橱内的空隙,旧报纸会吸收湿气,使壁橱变得干爽。

◆鞋柜铺旧报纸除湿

按鞋柜搁板的大小,把旧报纸折一下,铺在搁板上,既能保持鞋柜的干净又能吸收湿气。

◆干燥剂除湿

把一包干燥剂装在洗净的旧丝袜中,挂在衣柜处,就可使衣柜保持干燥。

布和蜡保养禁制家具

先用软布擦净家具表面尘迹,再用家具专用的上光蜡均匀涂擦表面,稍后再用干净软布擦亮,这样在保持家具持久光亮的同时,也增强了耐潮耐晒的性能。

草编家具用刷子除尘

除尘时用吸尘器或软质毛刷比较方便,脏污只要以微湿棉布擦拭即可。如果不得不用清水冲洗时,之后要置于阴凉处彻底风干,切勿暴晒于强烈日光下。

家具光泽亮丽 3 招

◆污渍用温茶水擦

如果家具表面沾有污渍,千万不可使劲猛擦,可用温茶水将污渍轻轻去除,等到水分挥发后再在原部位涂上少许光蜡,然后轻轻地磨拭几次,以形成保护膜。

◆橡皮擦去不干胶

家具上的商标揭掉后会留下不干胶的残留物,又黏又脏,不可以用小刀或者指甲去刮,容易损伤家具表面。可以用粗橡皮去擦,很容易就擦干净了。

◆白色漆面用牙膏轻擦

清洁白色家具可以将牙膏挤在干净的抹布上,只需轻轻一擦,脏痕即可去除。用力不要太大,以免擦伤漆面。

布艺家具保养 3 法

◆减小污渍印迹

布艺家具如沾有污渍,可用干净抹布蘸水擦拭,最好从污渍外围抹起,可以避免留下印迹。

◆果渍巧用苏打水除

沙发套上沾上果渍后会留下难看的痕迹,这时只要在污染处滴几滴苏打水,充分浸透果渍,干后就不会留痕迹了。

◆防脱线剪断线头

如果发现布艺家具的布套上松脱线头,应用剪刀将之整齐剪掉,不可用手扯断,以免脱线。

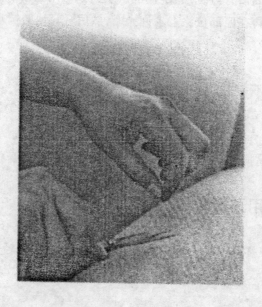

窗帘清洗小窍门

◆棉、麻窗帘

可以直接放入洗衣机中清洗,因为棉、麻材料洗后容易发皱,所以在洗涤的时候除了使用洗衣粉之外,最好加入少许衣物柔顺剂,能让窗帘洗后更加柔顺、平整,晾晒之前注意整理齐整,干了之后就显得平整。如果是容易缩水的面料应尽量干洗。

◆绒布窗帘

拆卸之后应用手将窗帘抖一抖,令表面尘土自然掉落,再放入含有清洁剂的水中浸泡15分钟左右,用手轻压滤水。洗净之后让水分自动滴干就可以了。

◆花边窗帘

饰有花边的窗帘不适合用力清洗,清洗之前可以用柔软的毛刷轻轻扫过,将表面灰尘除去,花边窗帘适合手洗,或者用洗衣机里的轻柔洗涤程序进行短时间洗涤,应该使用中性洗涤剂。

液晶屏用软布轻擦

清洁时可用干的软布来轻轻擦拭,也可用防静电液晶屏清洁布清洁。但不要用清洁剂或酒精,以免造成损坏。

CD 刮痕巧修复

把光碟数据面朝上平放在平板上,用脱脂棉或软布蘸一点儿牙膏,从中心向边缘轻轻摩擦,均匀用力,直至把划痕磨去,然后用清水冲净晾干即可。注意摩擦要均匀用力,不能沿圆周摩擦。

CD 架凹槽巧清理

准备一只方便筷和一小块儿纸巾,缠在四四方方的一头,厚度和 CD 架内凹槽的宽度差不多,就可轻松清理 cD 架内的凹槽了。

电视外壳用干布蘸洗洁精擦

将电源插头拔下,切断电源。用柔软的干布蘸一点儿洗洁精擦拭机壳,注意不要有液体进入电视机内部,最后再用干净的抹布擦净。

绒布沙发用黏纸滚筒除尘

绒布沙发或布艺沙发上的灰尘,很难用抹布擦干净。利用黏纸滚筒来清洁,既方便又快捷。滚筒上沾满灰尘后,将表层撕掉即可再用。

用视屏幕用软布擦

用干的软布轻轻擦就可除去电视屏幕上的灰尘和手指印。顽固污渍,可先用湿的软布擦,再擦干。不能用纸来擦,也不要对屏幕表面施加压力。

空调内部除湿小窍门

选在干燥的晴天,将空调功能键选在"送风状态"下,运转 3 ~ 4 小时,让空调内部的湿气散发干。

电话机细缝清理用棉签

电话机细缝中的污垢,用棉签蘸一点清水或酒精擦,很容易就清理干净了。

电话机的清洁保养

擦拭电话机,要注意对话筒的消毒,在对电话机进行普通清洁后,再用75%的酒精清洁话筒。

将清洁剂喷在机座上用干布擦净。

将干抹布喷上少许清洁剂,将电话线裹住,抻拉开擦,可以很方便地去除表面的污垢。

在清洁电话键盘时,可以用干抹布套住笔尖轻轻地清掉沟缝中的积尘,再喷上清洁剂,用干抹布擦净。

◎ 滚筒可以吸收布艺沙发上的灰尘和毛发,是清洁沙发的好帮手。

家中毛发巧清除

清扫房间地板时,掉落在地面上的头发最难以打扫,有时扫了很多遍,还是

很难完全清除。用下面几个方法,可以轻松去除家中的毛发:

将一双旧丝袜套在扫帚上,扫地时,利用产生的静电,将毛发、灰尘等吸附在丝袜上面。

可将一双干净的丝袜套在梳子上面,让梳齿穿过丝袜。梳头时,脱落的头发会黏附在丝袜上,隔几天清理一次即可。

对付布沙发、床单、毛衣上的发丝,可以截取一截宽胶带,在上面粘几下,就能轻松除去。

吸尘器的清理和保养

使用吸尘器前应将被清扫场所中较大的脏物、纸片等除去,以免吸入管内堵塞吸尘器进风口或尘道。

使用时,注意不要吸进易燃物、潮湿泥土、金属屑等,以防损坏机器。

使用一段时间后,要彻底清除管内、网罩表面和内层的堵塞物、积尘。对于可调速的吸尘器,一般把最大的吸速用于地毯吸尘,其次用于地板吸尘,再次用于床及沙发吸尘,最小的用于窗帘、挂件等的打扫。

儿童贴纸巧除净 4 法

◆用吹风机

先用指甲撕开贴纸的一角,然后用吹风机对着黏合面吹热风,一拉就能顺利撕除。

◆涂面粉擦

贴纸撕不干净,用手指蘸上一点面粉来摩擦,再用干布擦拭就能擦干净了。

◆涂点醋

贴了很久却撕不下来的贴纸,用棉签涂点醋,放 10～15 分钟,即可撕下。

◆用橡皮擦

对撕不干净的部分,用橡皮用力擦,黏着部分就会被擦净。用橘子皮代替也能起到同样的效果。

家庭插花小窍门

家庭插花要将花枝浸入水中的叶片去掉,因为叶片浸在水中极易腐烂,从而加快有害微生物的繁衍,破坏水质。如果发现花瓶中有落叶,应及时去除和换水,以保持水质。

衣饰

羊毛衫巧清洗

◆加醋柔顺

在清水中放些醋或其他柔软剂,放入羊毛衫浸约 3 分钟,再用清水漂净。

◆用手压洗

用手轻轻压洗,使脏水溢出,领口、袖口等易脏的部位,多捏几次,清水漂净。

◆洗涤前重点去污

洗涤前要对明显污渍重点去污,用一块干净白布,蘸洗涤剂或去污剂在污迹处擦净。

◆顽固污渍轻刷

对于较脏的部位,洗涤时可用软毛刷轻轻刷洗,但不可用力反复刷,以免刷坏面料。

◆温水浸泡漂洗

漂洗要用温水,能够有利于洗涤剂充分溶解于水中,可使羽绒服漂洗得更干净。

先将羽绒服放入冷水中浸泡 20 分钟,充分湿润。然后将专用洗涤剂倒入 30℃的温水中,再将羽绒服放入其中浸泡 15 分钟后洗涤。

◆防变形用手洗

干洗用的药水会影响保暖性,也会使布料老化。而机洗和甩干,被拧搅后的羽绒服,极易导致填充物薄厚不均,使得衣物变形,影响美观和保暖1生。因此最好用手洗。

◆不留白印的清洗法

若用洗衣粉清洗羽绒服,容易在衣服表面留下白色痕迹。可在漂洗 2 次之后,在温水中加入 2 小勺食醋,将羽绒服浸泡一会儿再漂洗,就能避免晾晒后出现白色印迹。

◆防褪色自然阴干

洗好后的羽绒服不能暴晒,最好自然阴干。也不能熨烫,以免烫伤衣物。

◆皂渍巧用酒精擦除

如果洗涤后的羽绒服留有皂渍,可用干净棉花蘸上酒精反复擦拭,最后再

◎ 食醋可以去除羽绒服上的白印，如果是白羽绒服则要用白醋。

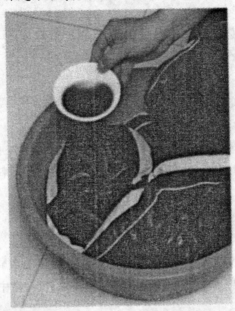

用热毛巾擦一擦，皂渍便可除去。

◆轻拍使羽绒服恢复蓬松

羽绒服洗好后，不能拧干，应将水分挤出，再平铺或挂起晾干。晾干后，可轻轻拍打，使羽绒服恢复蓬松柔软。

牛仔裤的洗涤、晾晒与修补

◆不要频繁洗涤

牛仔裤一般情况下应该是 1～3 个月甚至更长时间洗一次，频繁地清洗会导致牛仔裤脱色、变形、磨损。

◆防掉色用醋和盐浸泡

牛仔裤在第一次下水清洗的时候,先要做护色处理,在水里加些白醋或盐浸泡半小时甚至更久,洗涤的时候掉色就不那么严重了。

◆去汗昧悬挂通风

牛仔裤在穿着的时候一般不要超过三天,穿着时间久了会导致裤子变形,不穿时悬挂在通风的地方,不但可以去除汗昧,还有利于面料纤维的自然恢复。

◆浮尘用毛巾擦

夏季出汗很多的时候,可在裤子上洒些清水,用湿毛巾顺着布纹方向擦,把浮尘和污垢用毛巾擦掉,然后再挂在阳台上通风晾干,日常中的清洁就够了。

◎ 悬挂牛仔裤时,把牛仔裤从腰部平整挂起(用夹子固定撑平,切勿拉紧),晾在干燥通风处,避免阳光暴晒,否则容易氧化褪色或变硬。

◆不可用力刷洗

牛仔裤在洗涤的时候,先检查有没有明显的污渍,有的话用手轻轻揉掉,切忌用刷子用力刷。

◆防变硬有妙招

不要用热水来洗,30℃的水温即可,不然裤子会缩水,也不要用太多洗衣粉之类的,最好能使用温和的洗涤剂,这样晾干后的牛仔裤也不会变成硬硬的。

◆防磨损拉上拉链洗反面

将所有有拉链的地方都拉上,以免洗涤过程中会变形,然后将里面翻出来用洗衣机或手洗,这样也会减少对牛仔裤的磨损和褪色。

◆悬挂晾晒

晾晒的时候最好用手把裤子弄平,裤腿成筒状悬挂,通风晾干,避免阳光暴晒,否则会引起氧化褪色或变硬。最好将里面朝外晾。

◆牛仔裤巧修补

牛仔裤穿久了,有些部位会逐渐被磨薄。可用那种有透气性的胶布贴在磨薄的地方,把胶布的四个角剪成圆的就不会卷边了。

穿过一次后,胶布和裤子就紧贴在一起了,用水洗也没关系。

皮衣毛领的清洁

自己清洁皮衣毛领时要用干洗剂或者用羊毛专用洗涤剂清洗,要轻揉,并用清水漂净,之后要阴干,或者用吹风机吹干并用梳子理顺。

巧手清除絮状物

衣物晾干后,有些面料的衣物爱沾絮状物,可以找一块浸水后拧干的海绵来擦拭衣物表面,可轻松除去其表面的杂物。

新衣先用盐水泡

新衣服上会残留防皱处理时的化学药品——甲醛。穿着前先用食盐水浸泡,既能消除甲醛,又能防止棉布褪色。

皮革衣物的污渍处理

先用法兰绒等软布(或含硅树脂的布)擦拭污渍的表面,再用软布蘸上皮革清洁剂揉搓后轻轻擦,随着表面逐渐变干用力可稍大。

羊毛被防跑毛

羊毛被不宜水洗,可干洗,但不建议清洗,因为会影响被子面料的防绒处理层,出现少量跑毛现象。初次使用,从包装中取出后,应在避阳的地方晾 2～3 小时。使用时,套上大小合适的被套,并间隔 1～2 周的时间,在避阳处晾晒。

兔毛衫防掉毛冷藏法

不要因为兔毛衫掉毛就不再穿它了,可把它装进一个塑料袋中,放入冰箱内冷藏 3～4 天,就可以防止掉毛了。

质地不同洗法有差异

◆化纤织品不用拧

涤纶等化纤织品的衣服清洗后,不要用手拧干,挂起来滴干就行。

◆棉织品泡半小时洗得净

手洗棉织品时,先用温水浸湿,涂上肥皂浸泡或直接浸泡在洗衣粉溶液中,半小时后用手轻轻搓洗,搓洗后再放半小时,用清水漂净,可增强洗涤效果。

◆羊毛衫低温手工洗

洗涤水温以30℃左右为宜,水温过高易使羊毛衫缩水变硬,水温过低则会降低洗涤效果。在洗涤中,除有"可机洗"标志的羊毛衫外,一般羊毛衫都要小心地用手工洗,还要注意,严禁用搓衣板洗。

◆羽绒服用软刷轻刷

先将衣服浸湿,除去浮尘。然后在皂液中浸泡一会儿,再用软刷轻轻洗刷。刷后,上下拎涮几下,用干浴巾包好,轻轻挤出水分,不可用力揉搓,以防鸭绒堆积。羽绒服还忌碱性物,忌用洗衣机搅洗。

毛质外套的清洁护理

先洗毛质外套的领子周围和袖口,要用毛巾蘸上中性洗涤剂的稀释液,拧干后擦拭,然后再用湿毛巾拧干后擦干净。

青草渍用酒精擦除

衣服上的青草印,先用酒精涂擦,然后再用水清洗,即可洗掉绿色的痕迹。

泥点渍用生姜涂擦

衣服上沾上了泥点,在等泥点干后,先用刷子刷去泥粉,再用碎生姜涂抹污处,最后用清水漂洗即可。

霉斑巧去 4 法

◆用淘米水泡

把沾染霉斑的衣服放在淘米水中浸泡一夜,再按常规洗涤,霉斑即可去除。

◆用白醋和牛奶洗

将衣服放在加有少量白醋和牛奶的水中搓洗一遍,便能去霉味。若有霉变发黄的地方,可涂些牛奶放到太阳下晒几个小时,再常规洗净即可。这个方法很适合白色的衣服。

◆用酒精擦

衣服出现霉斑,先用软刷刷净,再用酒精擦洗,就可以去除霉斑。这个方法适合质地比较厚实的衣服。

◆用绿豆芽揉搓

衣服上的霉斑用绿豆芽揉搓,再用清水洗涤即可。

白衣服染色巧处理

◆用旧牙刷蘸漂白水轻刷

如果是小面积被染的话,先用清水将浮色洗掉,再用小杯子将漂白液与水按照 1:5 或 1:3 的比例混合稀释,用旧牙刷蘸漂白水轻轻刷被染色的地方即可。

◆用漂白水漂洗

如果衣服整件都被染色了,也要先用冷水洗净,然后将漂白水按 1:10 的比例用水稀释,将衣服浸入,用洗衣机漂洗 30 分钟,最后用清水洗净后再浸泡 20 分钟,就可以了。注意漂白水的比例要控制好。

◆画上个性图案

如果所有的方法都洗不掉的话,那就在有染色的地方画上你喜欢的图画吧,也是改变心情的好方法。

黑色衣物恢复光亮

黑色衣物穿久了颜色就会发乌显得不鲜艳,如果洗干净之后用煮菠菜的水洗一下,就可以使其光亮如新。

葡萄汁渍用白丁浸泡

不慎将葡萄的汁液滴在棉质衣服上,用肥皂洗涤不但不能去掉污渍,反而会使其颜色加重,应立即用白醋浸泡污渍处数分钟,然后用清水洗净。

醋、酱油渍用藕汁洗

一般衣服上的醋、酱油污渍,可用少量藕汁揉搓,再用清水洗净即可。

圆珠笔油渍清除

◆用醋水擦洗

用洗发水浸透油渍,将白醋加水稀释后,用刷子蘸取醋水轻轻擦洗,油渍即可清除。

◆棉签蘸热牛奶擦

把牛奶烧开,在衣服下面垫一块毛巾,用棉签或纱布蘸取热牛奶在油渍处涂抹,直到油渍消失。

◆涂牙膏揉搓

将污渍先用冷水浸湿,涂些牙膏,再抹少量肥皂轻轻揉搓,如还有痕迹,再用酒精擦拭即可。

蜡笔印用海绵蘸渍水擦

将海绵用清水浸湿后拧干,以画圆的方式擦蜡笔印,擦过一遍后,再用干抹布擦干净即可。

小苏打除毛绒玩具油污

对大型毛绒玩具和会发声不能水洗的毛绒玩具,把小苏打撒在油污处,轻轻揉搓,油污就能脱落,再用吸尘器吸净就行了。

玩具巧消毒

塑料玩具和积木等耐湿的玩具,可先用肥皂水泡洗,再用清水冲洗,最后擦干或晒干。铁制玩具在阳光下暴晒 6 个小时以上,有杀菌作用。

甜品渍巧去除

这种污渍是由糖和食用色素所形成,有可能是任何一种颜色,比如从可乐的褐色到樱桃的粉红色。

要立即清除所有污渍,否则遇到高温或者时间一久,就会变成黄色的污渍而无法清除了。

用热的湿毛巾擦掉粘黏的脏污,然后用冷水冲洗,在污渍背面涂抹上洗洁精,轻轻地搓揉,再用水洗净,或放进洗衣机里洗涤。

墨迹用淀粉糊揉搓

衣服或者桌布上沾上墨汁,及时将浮在表面的墨汁用纸巾吸去,然后在沾有墨汁的部位上涂淀粉糊或饭粒,用手搓染渍部位,墨汁就会浮上来。

然后,边用清水冲洗,边进行揉搓,直到不发黏为止。最后再用肥皂洗涤,即可将染墨部位清洗干净。

防掉色的小窍门

◆用白醋洗

洗红色或是紫色等颜色鲜艳的纯棉衣服和针织品时,在水中加少许白醋浸泡。也可用食醋,但不能太多,否则容易给浅色衣服染色。经常这样清洗衣服可以保证衣服艳丽如新。

◆用啤酒洗

用冷水将衣服浸泡两三分钟,然后用肥皂进行清洗,将洗过的衣服浸泡在清水中,倒入适量的啤酒,浸泡约10分钟,这样洗过的衣服就不容易褪色了。

◆盐水浸泡法

牛仔装和花色衣服在第一次下水之前先用浓盐水泡半个小时,然后再按照常规方法清洗。如果仍有轻微掉色的,可在每次清洗之前都用淡盐水浸泡10分钟。

◆花露水清洗法

洗棉织品和毛线织品时,在衣服漂洗干净后,在清水中滴入几滴花露水,然后将清洗好的衣服浸泡在其中10分钟,这样既能消毒杀菌又能去除汗味。

巧除折痕和亮光

想清除衣物上的折痕或久穿、熨后出现的亮光,可以淋上少量的食醋,或用蘸醋后的毛巾擦拭后熨除。注意,使用这个方法的时候,要使用白醋,醋不可以浓度过高,100毫升水里滴上几滴即可。

洗鞋4妙招

◆巧洗白球鞋

先用肥皂或洗衣粉将鞋子洗刷干净,把洗好的球鞋浸泡在啤酒中3分钟,然后把球鞋拿到阳台,放在阴凉处,并且用卫生纸盖在鞋面上晾干,白球鞋很容易就干净了。

◆儿童布鞋用牙膏刷

儿童的室内布鞋(舞蹈鞋),可用刷子蘸上牙膏来刷洗,牙膏有很强的黏着力和研磨作用,能顺利去除鞋上的污垢。

◆防晒黄涂鞋粉

把白鞋粉涂在洗干净的鞋上,如果没有白鞋粉,也可用白粉笔代替。不要在太阳下猛晒,那样反而会晒黄了。

◆鞋带漂白

准备一个盛酸奶的小塑料盒,洗净,把运动鞋带卷起,放到里面压实,倒入漂白水,没过鞋带即可,浸泡 2 个小时,鞋带就会恢复洁白了。

自制防臭牛仔布鞋垫

在不能穿的旧牛仔裤上,按鞋底的大小画出形状并剪下,用双面胶带贴在鞋垫上固定好,再垫在鞋里。牛仔布容易吸收大量的汗液,因而能够控制鞋里的湿度,防止细菌的增加。

晾晒时防衣物变形的窍门

◆普通衣服晾晒

晾晒衣服时不可将衣服拧得太干,而应带水晾晒,并用手将衣服的襟、领、袖等处拉平,这样晾晒干的衣服会保持平整,不起皱褶。

◆毛料衣服晾晒

对于毛料衣服,在较厚的部位(如肩、胸等处),还得一手在里一手在外地多拍打几下。这样做的目的是使衣服在干燥前褶皱尽量松开,便于熨烫。

◆防变形从衣服下面放衣架

将衣物平铺在晾衣架上,避免直接搭晾衣绳上。需用衣架晾晒的,从下面将衣架放入衣服,以免将领口撑大。

◆毛毯晾晒

晾晒毛毯时,搭在晾衣架上或用两根晾衣绳或竹竿相距 40～50 厘米平行架置,再将毛毯搭上呈帐篷状,这样毛毯不会变形或出现折痕。最后用毛刷轻刷,以恢复良好的外观和手感。

◎ 晾晒衣物时,用夹子将它们固定在晾衣绳上,可防止因风吹落或聚集到一起。

晾晒时防衣物掉色的窍门

◆自然风干

衣服最好不要在阳光下暴晒,应在阴凉通风处晾至半干时,再放到较弱的太阳光下晒干,以保护衣服的色泽和穿着寿命。

◆反面晾晒

把衣服反过来晾晒,此法对一些深色衣服尤为有效。但要注意不能被太阳直接照射,尽量放在避光通风的地方将衣服晾干。

◆注意风向

晾晒衣服要注意风向。靠近工厂区的下风处,空气中往往含有大量的粉尘,如果忽略了这一现象,就很容易使衣服落上粉尘,影响穿着效果。

宝宝衣物晾晒存放窍门

宝宝的衣服脏后应及时清洗,并存放在专用的小柜子里。宝宝的衣柜里不要放樟脑丸和其他化学驱虫剂。放了几个月的衣服,给宝宝穿之前最好放在通风、有阳光的地方晾一晾,去除潮气和细菌。

衣物保养好方法

质量再好的衣服,只有保养好了才能穿得长久,因此,掌握一些正确的洗、烫、晾晒的办法很必要。

◆清洗方法

怕过度揉搓的衣物,如果要用洗衣机洗涤,一定要放在洗衣袋中装好再开始进行清洗。

清洗时最好根据衣物的颜色、性质分开清洗,如深色和浅色的衣服要分开,上衣和牛仔裤需分开,外套和衬衣最好分开清洗等。

◆去污小办法

衣领、袖口。将衣物先放进有洗衣粉的温水中浸泡 15~20 分钟,再进行洗涤。

发黄的白袜。用漂白水的溶液浸泡 30 分钟,再进行洗涤。

奶渍。用洗衣粉进行污渍预处理,再进行洗涤。如果奶渍顽固,则可需要使用对衣物无害的漂白剂进行洗涤。

◆晾晒衣物

晾衣物时,用手轻轻地把衣物拉平顺,待干后,衣服才不会留下更多皱褶。

容易褪色、毛料或丝质的衣服,不能在阳光下暴晒,应晾在阴凉通风处使其风干。

丝质、尼龙质地衣物要避免用干衣机烘干,以免破坏衣服原来的光泽与弹性。

有些衣物的吸水性强,又不适合用机器脱水,可在晾晒前,先用大毛巾将水分尽量吸干,再以平放的方式晒干。

◆熨烫衣物

熨烫前要留意衣服标签上的熨烫指示,不同面料的衣服,需要有不同的熨烫温度,才能达到最好的熨烫效果。

遇有纽扣的地方,可以用 1 块厚布垫在衣服底下,将衣服反过来烫。

有衬里的衣物,为了不影响外观,烫完后别忘了衬里部分也要烫一烫。

熨斗应避免与绒面衣物直接接触,垫块小毛巾在布面上或使用蒸汽熨斗熨烫都可以。

衣物孩虫的2个小窍门

◆用新报纸包裹

把纯毛或混纺的衣物用新报纸包起来,在半年内有防虫的效果。为防止衣服沾上油墨,中间可垫层干净的布。

如果家中新买的衣服有包装衣物的雪梨纸,不要抛弃,它们可以继续起到保存衣服的作用。因为雪梨纸比旧报纸更干净清洁。

◆放块香皂

用干净的布包上一块香皂,放到衣柜里,就能起到防虫的作用。选择自己喜欢的香味,还可以起到净化空气的作用。如果衣柜比较大,可以在不同的隔层多放几块。

市面上出售的香包、香花、香草都有这个效果,可以根据自己需要进行选择。

包包保养有妙招

◆白棉手套

皮包保养的首选工具是白棉手套,只要戴上它对包包细细地做一番"爱抚",包包上面的灰尘就被带走了,只要再清洗手套就可以了。这个方法不用担心对包包的损坏,还可以让皮质的包包更加鲜亮。

◆软毛刷

一头尖一头圆的软毛刷或旧牙刷,对处理小地方的脏污很有用,尤其是对刻有 logo 或名称的拉链的地方,能把卡在里面的灰都清出来。

◆牙膏

擦皮包时,可以用少许牙膏与保养油同时擦拭皮质表面,皮包会光亮如新。

◆旧报纸

暂时不用的皮包,可取几张旧报纸轻轻揉搓,塞入到皮包里,旧报纸就会吸收湿气,而且还能使皮包保持形状。

孩潮吸湿垫层旧报纸

在放衣服的抽屉或箱子底部铺上几层旧报纸,既能吸湿气又防霉。为了防止衣服被油墨弄脏,可以在报纸上再铺一层白纸作为间隔。

如果有单色的包装纸,则可以直接使用。在很多商品包装中会有防潮剂,可以收集起来,以备不时之需。

在比较湿润的地区,即使是用了这个方法,也要不定期将吸湿用的报纸进行替换,以保持抽屉内环境的干燥。

丝巾防皱妙招

丝巾和披肩这类的饰品,如果叠起来放置,在取放时不仅容易松散,显得杂乱无章,还会产生讨厌的褶皱。

◆利用毛巾架

把丝巾轻折后用毛巾架悬挂在衣柜门的内侧。

◆妙用保鲜膜内筒

保鲜膜用完了不要把它的纸筒扔掉,把对折的丝巾卷在保鲜膜纸筒上,同样不会产生褶皱,而且还不占空间。

过期牛奶擦皮鞋

刷掉鞋面上的污垢后,把过期牛奶均匀涂抹在鞋面上,等干了之后,用布擦拭。鞋面不仅光而且亮。也可用来擦拭皮质家具。

巧除衣服上的铁锈

衣服上的铁锈,用沸水浸湿,涂上发酵的牛奶搓洗,再用肥皂搓洗,衣服上的铁锈便清除了。

◎　丝巾宽度要略小于保鲜膜纸筒,这样丝巾才可以完全贴在上面。

金银制品用绒布擦

金银制品沾上油污时,用绒布蘸上蛋清擦拭,即可使金银制品光亮如新。

如果表面发黑较为严重,可将蛋清和 1 茶匙漂白水混合后擦拭。擦拭的时候如果能用麂皮毛巾,清洁和保养的效果会更好。

小苏打水使银饰变亮

可将沾了油污的金银制品泡在低浓度的小苏打水里,隔夜后再冲洗 1 次,可使表面光亮如新。

银饰品清洗之后,一定要擦净水分再佩戴或者保存起来。

有机宝石特别对待

对于珍珠、琥珀、象牙、珊瑚、欧泊一类的有机宝石,不但要求保持洁净,还要求保存环境不能过于干燥,否则会造成有机宝石的干裂。

可以将有机宝石集中存放于一处,在有机宝石的旁边放上一小杯水,利用水分的蒸发来维持空气中的湿润。同时也可以在有机宝石表明轻轻涂抹一层薄薄的橄榄油,起到一定的保湿作用。

午烟灰擦亮银饰

找一块比较粗糙的布,蘸香烟灰擦银饰,擦几下就会让银饰光洁闪亮。如果为镂空银饰,那就把软布换成细线来回拉动摩擦即可。

恢复光泽用可乐浸泡

把银制品浸泡在可乐里面,如果是一般的由于佩戴发乌不亮了,浸泡约 10 分钟。如果被氧化得太厉害了,就多浸泡一会儿。取出后用棉布反复擦拭,即可恢复光泽。

孩变黑涂层指甲油

在新买的银饰表面上涂一层薄薄的透明指甲油,以后每 10 天再涂抹 1 次。银饰会更加光亮,还能避免其变黑。如要除去指甲油,用洗甲水清洗即可。

爽身粉巧解项链

细的项链容易缠绕在一起,只要在打结处撒上一点爽身粉,项链就变得顺

◎　缠绕打结的细项链,可以用爽
身粉轻松"开锁"。

滑,很容易就解开了。

增强洗衣钵机洗涤效果的小窍门

◆事先重点去污

在开机前最好将衣物浸泡一会儿,特别脏的地方,应先用肥皂揉搓,然后再机洗。

◆洗衣粉全部溶解

如水温过低,就难以溶解洗衣粉,可先用30℃左右的少量温水使之全部溶解。如衣物极脏,可用40~50℃的温水洗涤。

◆把握洗衣粉用量

洗衣粉使用过量,既浪费又不易漂洗干净。用量过少,则减弱洗涤效果。

◆选对洗衣粉

丝绸、毛类织物用中性或弱碱性的洗衣粉,油污较多的棉麻织物用强碱性的,血迹、油污等斑迹用加酶洗衣粉,洗涤有铁锈的织物用含硼酸钠的洗衣粉。

◆定时清洁注水口

长期使用洗衣机,注水口易被污垢堵塞,降低水速,因此须彻底清理,以免造成给水不良或故障。

◆及时清理滤网和外壳

每次洗完衣服后,要及时清理滤网和外壳。在清理时,不要使用坚硬的刷子、去污粉、挥发性溶剂,也不要喷洒挥发性的化学品,如杀虫剂,以免洗衣机受损。

洗衣机除菌 4 招

◆抹布蘸醋擦

在使用洗衣机前,先用抹布蘸醋水擦拭洗衣机,放洗衣粉的小袋要重点擦,醋有杀菌的作用,能使洗衣机保持清洁。

◆小苏打除臭

在洗衣机中倒入热水至低水位,再撒人约 30 克小苏打,洗涤 5 分钟,浸泡一夜,第二天用正常程序清洗一次就能消除臭味。

◆白醋防霉

在洗衣机中放入高水位的水量,倒入约 200 毫升白醋,使洗衣机转动 5~10 分钟,放一夜,第二天用正常程序清洗一次即可。每月保养一次,就能有效防止洗衣机槽发霉。

◆漂白水除菌

洗衣机注满水,倒入约 200 毫升漂白水,清洗 5 分钟,关掉洗衣机,放一夜,第二天用正常程序清洗一次即可。

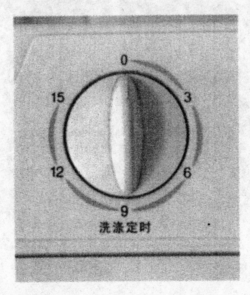

收纳整理

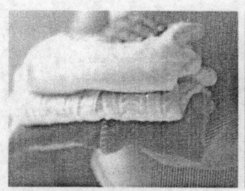

衣物

家庭收纳三大法则

◆没用的东西坚决扔掉

想要房间达到清爽整齐的效果,适当丢弃不需要的物品是很必要的。

就拿衣服来说,仔细翻翻衣柜,是不是有些衣服一直挂在衣柜里没动过。与其放在里边"占位",还不如考虑送人或者拿去做废物利用,让其他衣服有个舒适的空间。

◆经常用到的东西,放在最方便拿到的地方

在收纳之前,必须懂得收纳最基本的原则,那就是将每一样物品按照其使用方式,放在最方便拿取和使用的地方。

比如放置衣服最好的地方是衣柜或更衣间,锅碗瓢盆等厨具物品要摆放在厨房,而洗涤用品放在浴室是最好的。BT

◆不同的使用者选择不同的收纳用具

如果是自己使用,就可以根据自己的喜好选用一些别致或者有趣的收纳箱,让自己在做家务的同时感觉到轻松和快乐。

如果是给比较小的孩子使用,就应该选择孩子能方便打开,并能轻松找到里面东西的收纳箱。

如果是给家中的老人使用,最好选择比较容易开关的储物箱。不要给老人使用带轮子的收纳箱,以免造成意想不到的伤害。

另外,宝宝的衣服最好存放在专用的小柜子里,并且不要放樟脑丸和其他化学驱虫剂。

挑选不同材质的收纳箱

◆塑胶收纳箱——放置常换洗的衣物

塑胶收纳箱最好不要用来放杂物,以免因为塞了一大堆东西懒得拿,久而久之变成囤积在家中的大型垃圾。几个彩色的塑胶收纳箱可以组合成漂亮的收纳组合,用来放置经常换洗的衣物。

◆藤制收纳箱—美观轻盈,值得选购

藤制收纳箱无论放在客厅还是卧室,都是个很好的点缀。藤制收纳箱可以放一些受湿度影响比较小的物品。

◆木质收纳箱——调节湿度功能最好

讲求自然风的木质收纳箱,因其具有调节湿度的功效,用来收纳衣服效果最好,但一般都用来放置比较贵重的物品。缺点就是价格偏高也比较沉,不方便搬运。

◆无纺布收纳箱——摆放在干燥的环境

利用无纺布做成的收纳用品款式极多,最常见的有多格收纳盒、真空压缩袋、衣物防虫防尘套及挂式收纳袋等。

衣物实用收纳

◆适合吊挂的衣服

外套、套装、易生皱褶的衣物最好采用吊挂的方式,并按照长短顺序挂,这样可以充分利用下方多出的空间,摆放皮包、T恤等小物件。

◆过季的衣服

一些过季的衣服可以用收纳盒、收纳抽屉、收纳袋等收纳,存放在衣柜高处或其他地方。

◆色系不同的衣服

将同色系、同类型或同功能的衣物集中收纳,这样既方便服装搭配,也可以为以后衣物的购买提供"参考数据"。

蓬松毛衣收纳有方

毛衣、针织衫质地较厚,最好用较长的密闭盒收纳。一些比较蓬松的冬季穿的毛衣,叠放比较占空间,把毛衣卷起来放在纸质购物袋里。春秋穿的薄些的毛衣放在浅层抽屉里,拿取时一打开抽屉就能看到。

毛衣卷起来收不起褶

把毛衣一件一件轻轻地卷起来,整整齐齐地放到衣橱里收藏,下次拿出来时,毛衣就可以保持原有的平整。

如果有专门的收纳箱用来收纳毛衣,这个方法会非常实用。记住在毛衣旁边放上一些除虫的干花或者香皂,这样毛衣就能安心收纳了。

羽绒服卷成卷收纳

把羽绒服卷成卷更容易存放,即使用力压也不要紧。

事先将羽绒服清洁好,铺放平整,压出衣服中的空气(有吸尘器的话,可以使用衣物收纳袋将羽绒服中的空气吸出),再将衣服袖子和帽子归纳整齐,卷起来就会方便很多。

　　羽绒服卷起来之后，可以用毛巾被或者长袖衫包好、打结，这样就能存放过季了。

选择适合的收纳工具

　　利用鞋盒等空盒，把文胸叠好，相同的方向依次摆放，不仅文胸保持整齐不变形，而且还增加了收纳量，容易拿取。

　　选用多格挂袋，两个一组分别挂在衣柜门两侧，把T恤折成卷后放入其中，拿取时一目了然。

准备一个布包,把它挂在衣柜内侧门上,早上起来到衣柜拿衣服的时候,就可以顺手把睡衣放进包里,把门一关,就轻松搞定了。

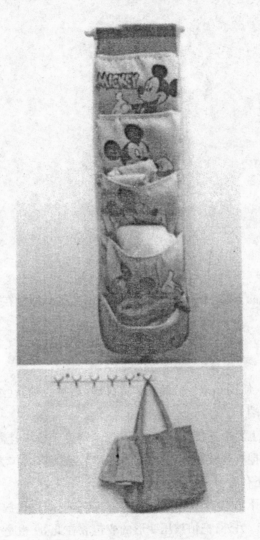

怎样摆放好找好拿

衣服折好后如果只是叠成一摞,刚开始很整齐,但只要一拿取,就很容易变乱,所以最好的办法是把衣服卷好直立排放,方便拿取而且不容易弄乱。

把衣服按照颜色、材质以及功能分类摆放在不同的地方。同一种类的物品,不要分散陈列,并尽量让色系统一,以降低视觉的复杂度。根据衣物的使用

频率要高低错落地放置衣物。一般可按照纤维的性质分层存放：棉质衣物、合

成纤维放在衣柜的下层，毛织物放在中间，绢织品则必须放在顶层。

充分利用有限空间

一些过季的、使用频率较低的衣物，可以收纳在收纳盒、纸箱、收纳袋中，摆放在衣柜的最顶端。

只要在衣架上套个连接挂钩，就可以把衣物上下成串挂着了。厚重的外套利用压缩袋可以把衣物体积压缩到原有的 1/3，从而有效扩大收藏的空间。除此之外，压缩袋还有防虫、防潮湿，抗菌的作用。

吊挂的衣服下方会有一部分空出来，在这个空间里摆放收纳箱、纸箱可以存放更多的衣物。另外，把怕被压变形的皮包放在此处，也是个不错的主意哦。

为内衣找个"家"

内衣这样的小件物品应该专门放置，既干净又方便取出。将利乐包包装的牛奶盒剪掉上下封口，洗净、卷成筒状，一个个整齐排列在大盒子里，内衣、袜子、领带、皮带都可以卷好放进牛奶盒了。

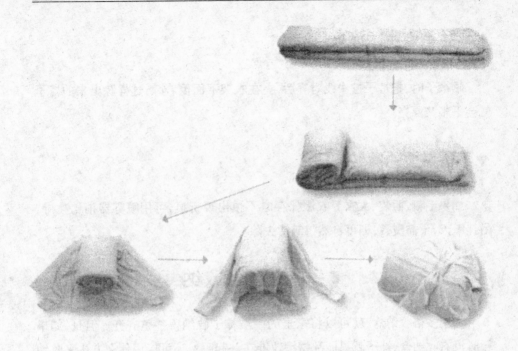

收纳羽绒被不占地

　　把被子摊开摆放在床上。准备一件不穿的长衬衣,将被子一边向中间折叠1/3,另一边同样处理。将折叠好的下摆向上卷折至上端后,压平。把卷好的被子摆放到摊开的长衬衣上。用长衬衣把被子包裹起来,扣子扣好。再将两边的衣袖在中间打一个结,绑紧即可。

吊挂衣物不变形

　　不同的衣物用不同的吊挂方式,才能使空间显得整齐,还节省了空间。

◆吊带、裙子倒挂不留痕

　　虽然裙子的材质变化多样,但穿的时候出现折痕就不美观了。最好的办法就是把衣服倒过来,用带夹子衣架上的夹子夹住尾端吊挂。

◆裤子倒着晾不变形

晒裤子时,把裤子按中线对齐后,夹在衣架下面倒着晾,这样晾出来的裤子就会平整又漂亮。

◆不需熨烫的除皱窍门

如果毛料、西装、大衣等衣服保存时不慎出现折痕,可用喷雾器稍稍喷湿,吊挂 1 天,不需熨烫,即可自然将皱褶去除。

▌子的超创意收纳

利用多格收纳盒,就可以将家里的一堆袜子收纳得整整齐齐。但是,如果暂时没有收纳盒,袜子就只能乱糟糟地堆在一起吗?还可以用什么方法来收纳袜子呢?

找一些扎头发的皮筋,把皮筋一个接一个地穿成一串。把家里的袜子叠好,再把叠好的袜子一个一个地套在皮筋里。把皮筋挂在衣架上,想穿哪双随手一拿,非常方便。

帽子收藏不变形

收藏帽子时,为防止变形,可按帽子的大小吹起一个气球,扎紧口塞到帽兜里,盖上塑料袋存放就行了。

用小孩玩的皮球,清洁干净,用来撑起帽子也很方便。

如果家中有闲置的围巾、小包等小物件,同样可以如法炮制,节省更多空间。

皮带巧妙藏

老公的皮带好烦人,东一条西一条,挂又没处挂,放又不好放,两招帮你巧妙收藏皮带,既方便又实用哦。

◆伸缩杆 + S 钩的完美组合

在挂衣杆的前面安装个伸缩杆,再配上 S 钩,就可以把经常用的皮带挂在这了。要拿后面挂的衣物,只要移动挂钩就可以了。

◎　放到收纳盒里的皮带,既美观,又节省空间。

◆放进收纳盒

把不常用的皮带卷起来,存放在收纳盒里,可节省很多吊挂的空间。

给浴室添点绿意

在浴室的置物架或窗台上摆上一小盆植物不仅增添绿意,让人心旷神怡,还有净化空气的作用。绿萝、一叶兰和波士顿蕨等花草都适合放在浴室中。

鞋子收纳的超实用窍门

◆分类摆放省空间

鞋子的分类没有统一的标准,首先可以把不常用的、过季的鞋放在鞋柜底下,而同款式、花色相近、高度相近的鞋摆在同一排,可节省鞋柜空间。

◆收纳时鞋尽量归盒

收纳鞋的时候可以用原来的盒子装上。在鞋架两层之间,可以利用空鞋盒来提高存放量,鞋盒的大小和鞋子要吻合,也利于保护鞋子。

◆在鞋盒上开个小洞方便找

在鞋盒上开一个小洞,或者在鞋盒外面贴上标签,这样不用打开盒盖,就可以清楚地知道鞋子的颜色和款式,选择起来就容易多了。

◆轻便的鞋直接挂起来

布鞋、轻便的旅游鞋以及宝宝的鞋通常小巧轻便、质地柔软,可以直接将它们挂在墙壁上,或者挂在柜门内侧,这样能充分节省空间。

◆抽屉收纳鞋

如果家中有靠近客厅或玄关,深度比鞋盒稍深点的抽屉,把鞋柜放不下的鞋子放在此处也是个不错的收纳法。但是由于抽屉的封闭性,要做好防异味准备。

此外,在鞋柜的门内侧装几个毛巾架,就可以把拖鞋摆放在上面,摆得又多又整齐。

把鞋柜的死角变"活"

◆藤篮放鞋实用美观

把拖鞋一双一双地竖立,摆放在精致的藤篮里面,放在玄关靠门的位置,进门好拿,也成了玄关一角的摆设了呢。

◆坐凳收纳鞋

家门口用来换鞋的坐凳,可选择有收纳功能的坐凳,大概可以放 4~5 双鞋。

◆鞋柜巧妙用

在鞋柜的侧面粘上挂钩,就可以挂雨伞和遮阳伞了。在鞋柜门的内侧,也可粘上挂钩,挂鞋刷等擦鞋用品。

长靴的收纳方法

在购买长靴时,不要把鞋盒丢掉,先收藏在床底下或是衣柜上方的空间处,等到换季的时候就拿出来收纳鞋子,再一盒一盒地堆回衣柜的上方或者床底下。如果没有鞋盒的话,不妨在壁橱的角落拉下一条绳子,穿上一些晒衣夹,把清理干净的靴子一双一双夹着吊挂起来。

大小包包轻松收

◆常用包包墙上挂

在门后面的墙壁空间钉几个挂钩,把常用包包放在这个位置方便拿取。但

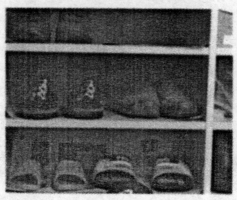

不要把皮包直接挂在门后面，以免开门的时候被墙壁磨到而受损。

◆包包排排站

　　一些怕被挤压、稍大些的皮包，可以直接放在柜子里逐个摆放，整齐又好拿，不过此法只适合衣柜空间大的家庭。

　　放进收纳箱前，记住要在包里塞上东西，以免挤压变形。假如皮包太软立

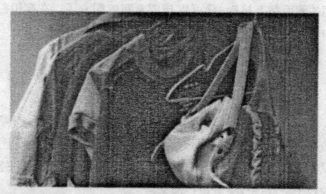

不起来，在包里塞个厚纸板就可以轻松解决了。

◆大包塞小包

　　不常用到的包，可以把小包放进大包里，节省空间还能让大包鼓起来不被压扁变形，一举两得。

◆包包请进衣柜里

利用衣架或 s 钩把稍大一点的包挂在衣柜里面,一上一下摆放,可以挂很多,而且不会通通卡在一起。小包则可以利用小架子隔开,上下两层放置。

◆放进收纳袋

收纳袋格子的大小刚好可以拿来放一些小型包,挂在衣柜的内侧,不过由于包的重量较重,选购的时候要挑材质厚一些的收纳袋。

行李箱轻松打包没烦恼

◆硬壳、布面各有优点

硬壳行李箱的最大好处是耐摔。如果要托运行李,箱子里又可能放一些易碎物品,那么硬壳行李箱是个好选择。如果不喜欢托运,就可以考虑布面行李箱。布面行李箱重量轻,而且收纳容量较有弹性。

◆拉杆轮子要顺畅坚固

当行李箱装了满满的东西时,要能顺利搬移,最重要的当然就是拉杆和轮子。因此,购买行李箱以及带出门前,一定要试试这两个地方是否坚固,推拉时是否流畅,这样使用起来才会轻松愉快。

◆旅行用品需分门别类

把内衣裤放一袋、化妆保养用品放一袋,穿过的衣物再用另一个袋包起来。旅行用品分类收纳进行李箱,拿取使用会更方便。

◆干湿分离很重要

收纳旅行箱要做到干湿分离,尤其是一些洗漱用品或者穿过的泳装。

◆小袋子方便又好用

如果不知该如何好好收纳行李箱,不如直接找几个小袋子,把同一类的物品放在同一个袋子,接着把袋子通通放进行李箱,看起来自然整齐又好拿。

◆常用药品记得带

常胃痛的人出门最好带胃药,容易头痛的带头痛药。常有病痛的人,出门

◎有了小巧的洗漱包,不用再为旅行时候的化妆洗漱而烦恼。它还可以成为旅行时的临时小零碎收纳包。

前最好去看一下医生,告知旅游需求,请医生开一些药让你带着出门,预防万一。

◆试用装是旅行好伙伴

平常放在家里没用处的试用装,旅行时可就派上大用场了。只要把众多小包装的试用品全部装在一起,就能轻松解决保养化妆的问题了。

小饰品极致收纳

◆用台历收纳小饰品

将手链、手机挂链挂在台历的活页孔上,易找又好看。

◆用吸管放项链不会缠绕

把项链放在吸管里面,可以防止项链缠绕在一起。方法是用剪刀将吸管剪开,调节相应的长度,再将项链的一段放入吸管中,不会缠绕,也不易损坏。

◆集中摆放才整齐

将和保养有关的产品集中摆放在藤篮或者收纳盒中,既腾出了台面上的空间,瓶瓶罐罐的化妆品也不会东倒西歪地不听话了。

◆牛奶盒收纳指甲油

空的牛奶盒稍微包装一下,一瓶瓶的指甲油收放其中,马上就变得整整齐齐了。

使用小物件收纳盒

可根据自己的需要,选购市面上那种透明的塑料收纳盒,既美观轻便又利

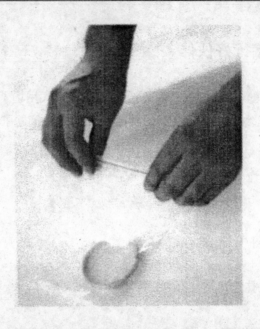

于清洁。

　　如果首饰比较多,就选择格子较多的那种,或选择可自由组装的那种,不但容量比普通首饰匣大得多,而且使用起来也一目了然,非常方便。

首饰收藏于密封塑料袋内

　　首饰不戴时,逐个擦亮放进密封塑料袋里,使其与空气隔绝,这样就可以避免相互摩擦和氧化。

　　因为首饰之间的材质不同,硬度不一致,即使搁置在首饰盒里,也会互相磨损。建议每个首饰都单独包装保存,有专用的戒指盒、项链盒的可以利用起来,如果没有包装的,可以用硬质塑料密封袋(批发市场有售)逐一装起,这样就可以避免首饰之间的碰撞、磨损。

　　值得注意的是,即使是收藏在密封塑料袋内的首饰,也不能就此束之高阁。不定期取出护理一番,可以长久保持首饰的光泽鲜亮。

厨卫

厨房美观收纳

◆合理利用吊柜

吊柜最上方摆放一些装在收纳盒里平时不常用的物品,吊柜的下面因为容易取放,则可以放置一些经常使用的杯、碗、碟等比较轻的物品。

◆抽屉里使用隔板好处多

在抽屉里放上用空纸盒做成的隔板,也可以用筐或者餐具作收纳格,那些难以整理的筷子、形状各异的勺子就可以被收拾得整整齐齐了。

打造实用碗柜

◆碗柜中间

把经常用的餐具放在碗柜中间的最佳位置上。适合摆放的物品包括经常用的饭碗、水杯、碟子等。

有些放在碗柜里面的小物品不好取,用一个小篮子或收纳盒,把零碎不成套的物品都装在里面,拿取就会变得方便多了。

◆碗柜下方

碗柜最下方的物品,需要弯腰才能取到,因此一些使用频率不高或者比较重的餐具比较适合放在这个区域,如砂锅、电火锅等。

碗柜里的天地方便又整洁

在碗柜里放几个小篮筐,最里面的东西很容易就能拿到,而且看上去整洁、美观。把尺寸相近的碟子竖着摆放在篮筐里,要比直接摞起来取放更方便。

调味品的创意摆放

◆彩罐巧分调味品

把盐、糖、味精等容易混淆的调料,分别装在不同颜色的小罐子里,在轻松分辨调味品的同时,你的厨房也变得多彩起来。

◆小篮子装调料

大蒜、生姜、辣椒等辛香料,可以摆放在一个小藤篮里(根据个人的喜好可以选择不同的收纳用具),放置在台面上既美观又顺手。

水槽下空间的充分利用

水槽下面虽然隐藏着弯弯曲曲的管道,但同样可以充分利用起来。

利用资料架或盒子,可以把一些小型炊具或洗涤剂整理存放。打扫时也方便容易。

在橱柜内壁上粘几个挂钩,可以挂放各种轻便常用的厨房用具。

因地制宜的搁板

◆吊柜下面架搁板

将朴素的搁板放在吊柜下面,放些烹调用的调料和抹布,还有喝水的杯子,各种不锈钢的小锅,存放调味品的调料瓶,甚至可以放些相框、花瓶,只要喜欢,任何东西都可以放在上面,做饭的心情都变好了。

◆吊柜侧面的墙也不要放过

把造型美观的茶壶、茶罐,一字排开收放在这个搁板上,方便实用又漂亮。

菜板巧放省空间

在吊柜的下方粘上两个平行的毛巾架,菜板放在这里既省空间又方便拿取。

锅碗瓢盆轻松摆放

◆顺序堆叠好放好拿

沙锅、奶锅可将锅盖倒扣,再将锅按照大中小堆叠,这样锅盖不会找不到,还可以节省空间。需要注意的是,此法不适宜炒菜的油锅。

◆锅碗瓢盆隐形收藏

还可以把锅和锅盖分开收放,把大锅套小锅收在一起,锅盖用一个文件筐轻松收纳。

食品"新鲜"存放

零散的袋装食物直接放在抽屉里显得非常零乱,可以把它们都装在密封罐或保鲜盒里,既方便保存又能美化空间。

在厨房里摆放上能吸油烟的绿色植物,放在上风口的位置,既能清新空气,又能作为壁挂装饰。适合摆放在厨房的花草有:冷水花、绿宝石、绿萝、波士顿蕨等。

盘子方便取不易碎

碟子竖着放进文件筐和网篮里,碗放在托盘上,这样就能一下把要用的盘子拿出来,取碗的时候只要把托盘拉出来,就可以轻松拿取了。

大些的盘子也可以竖着摆放,这样能节省空间。零碎的物品可以整理在一个托盘上,这样再拿取摆放在最里面的东西时也变得轻松了。

杯碟美观创意摆放

◆错落有致挂墙上

把好看的瓷器杯,用挂钩错落有致地挂在墙上,收纳的最高境界不仅是让空间更整齐,也可以让空间更美观。

◆碗碟存放金属筐

将常用的碗和碟子放到金属筐里存放,拿取方便,还方便洗碗后沥水。可将筐和盘子直接存放在碗柜中。

洗涤用品轻松取

清洁球、刷子等厨房清洁用具,用挂钩挂在水槽上方的墙上,而肥皂或洗手液则放在水槽旁边的位置就可以。抹布和围裙等厨房用具,则可以利用毛巾架挂在门后,如果有客人来,还不会被发现。

抽屉里放隔板井然有序

只是随随便便地把东西塞进抽屉,很快抽屉就会变得凌乱不堪。

选择尺寸合适的小筐和小盒,就可以自然地把抽屉里的空间隔开,有条理地存放一些小物品,方便找取。

塑料袋、小毛巾可以叠起来竖着放在抽屉中,使用时可以很容易地抽取。

满满的冰箱理不乱

冰箱抽屉里存放东西时,不要把物品横着往里塞,而要竖着排放。

利用塑料篮筐和酸奶盒,竖着存放蔬菜,可以让冰箱的空间更有秩序。

喝完的饮料瓶,洗干净后,横着剪断,可以存放管装食品。

冰箱食品的摆放诀窍

冰箱收纳的秘诀在于找寻容易、拿取方便,不管是使用保鲜盒、真空袋或各式收纳盒都要让食物露脸,能清楚地看到储存的物品。

◆食材直立摆放方便找

在把食材放进冰箱的时候,以直立方式摆放,这样找起来非常方便。

◆冰箱食物防串味窍门

放入冰箱的食物,无论生、熟,都应放在容器内,如食品塑料袋、饭盒、保鲜盒等。鱼、肉和带腥味的食物应清理干净,用纸巾吸干表面的水分、黏液后装入食品塑料袋,再放入冰箱内。

◆顺序摆放方便拿取

在冰箱里摆放食物的时候,最好按照购买时间顺序排放,晚放进来的食物摆在后面,食用时就可以按照时间顺序从前往后拿取。

椅角旮旯巧利用

冰箱的侧面也可以利用起来,在上面粘几个挂钩,就可以挂围裙、微波炉专用隔热手套和隔热垫等,方便又实用。

隐蔽的碗柜侧面同样可以固定一个小篮筐,放托盘或垃圾袋等。

浴卫贴心收纳

◆向下求发展

充分利用洗脸池下面的空间,可以在其中设计一个储物柜放洗漱用品,也可以用来储存卫生纸和卫生巾。

洗手台下方粘一组挂钩或挂个小篮,收纳浴室用品,或者放一个脏衣篮,脏衣服的收纳问题就解决了。

◆向上找空间

在卫生间里,坐便器和洗手池上方的空间是最易被忽略的。在橱柜上方再加块层板,这样又能多出一个储藏空间,可放些洗涤用具。

立式衣架收脏衣服不变味

洗浴后换下来的脏衣服挂在立式衣架上,既节省空间又不会使脏衣服变味。也可以利用大无纺布收纳袋收纳脏衣服,透气的无纺布也能防止脏衣服变味。

小物品一律靠墙站

把毛巾、手纸、电吹风这些小玩意儿通通请上墙面。可在墙面上安装一些固定的浴巾环,牙缸托和老年人必备的扶手等。除此之外,还可再把一个简单的玻璃架或金属架悬于壁上,用来摆放化妆品。

内心丰富的衣镜

把收纳柜的门换成化妆镜,关上柜门就能利用它整理仪表,同时又是收纳浴室用品、充分利用空间的好帮手,可以说是一举两得。

此外,在梳妆柜里加上隔层,把各类小物品分类摆放在杯子、收纳盒里面,整齐又方便。如果在镜柜两侧再加上搁架,又开辟出额外的可用空间。

卫生纸最方便拿到的地方

把造型美观的小布篮挂在坐便器附近的墙上,收放卷筒卫生纸,使用方便,造型也美观。

如果是抽纸式卫生纸,可在纸抽盒下面挖个小洞,然后挂在金属挂钩上就搞定了。

洗衣机是个好的收纳箱

认为洗衣机是个占地的大家伙?你就大错特错了,其实它可是个非常实用的收纳道具呢。

◆湿抹布的归宿地

湿抹布经常不知道该放在哪里,用一个毛巾架或挂钩就轻松解决了。把毛巾架安装在洗衣机侧面下方的位置,方便随时使用。

◆洗涤剂方便取

拆开了的洗涤剂,无论是放在洗手台的收纳柜里,还是洗手台上面的搁架上,拿取都觉得不方便。那就把它放在最方便使用的地方吧,在洗衣机侧面挂个收纳筐(最好是磁铁式的,比较牢固),把洗衣粉放在里面,怎么样,是不是取用时非常方便呢?

吹风机的最佳摆放

卫浴问的潮湿环境一般不适合储放像吹风机、电动剃须刀、电发棒等"迷你电器",用收纳盒单独储存放置,能够更好地隔离湿气。

美发用品集中收纳

在储物柜的门内侧安个挂钩,把零散的橡皮筋绕圈挂在挂钩上。梳子等美发用品可以装在小型的收纳篮里。

居室

窗台下的风景

很多家庭的户型,有景观低窗的设计,赶快把这些低窗下面的空间利用起来吧!

可以把这个空间密闭起来,做成抽屉,家里又多了实用美观的收纳柜了。

卧室情调收纳

卧室是淋漓尽致地展现浪漫的地方,完全私人化的领地,如何实现轻松收纳呢?床头的几柜、床头上方的"风景"、窗台边的盆花,都在不经意间提升了卧室的浪漫情调。

◆墙壁上方

墙壁的上方可以用搁板,放置一些CD或者书,甚至是精美的小摆设和花盆。在搁板的下方可以挂照片和装饰画,让墙壁不仅有收纳功能,同时又成为一面风景。

◆门背后

干干净净的房门背后,是许多人容易忽略的可利用空间。可以挂个收纳袋,摆放手机充电器、记事本等小物品。

◆床头柜

选择一个方正的几柜,里面就可以放置小抱枕等其他常用品,上面仍然可以摆放花草、装饰品。

◆床底下

用有轮子的收纳盒收放衣物,可以把换季不穿的衣物统统压在床底,既不影响活动又隐秘,拿取也非常方便。

◆床尾

通常在床尾我们不放任何东西,使得床尾的空间一直闲置着,可以考虑在床尾摆放一个小型的收纳柜,带滑轮的就更好。常用的茶具或咖啡杯,常看的书和零星小物件可以放在这里。

枕边书床边放

◆藤制盒放床边

藤制的梯形床头柜造型独特,是床边收纳的好工具。梯形床头柜可以最大限度地利用床边闲置的位置,是枕边书或者小摆设的最好摆放场所,也为卧室增加了一份浪漫的情调。

◆小书架上的新意

用一个木质小书架代替床头柜,放书与摆放台灯、电话同时兼顾,既实用又充满新意。

◆有抽屉好方便

在床头做几个灵活的小抽屉也是很好的创意,只要伸手就能拿到里面的书,对于喜欢在卧室里阅读的人,可谓最方便的设计。

给床条收纳裙

方便取用、柔和温馨的"口袋式"收纳的确是一种最贴心的方法。一个布满口袋的床"裙子"可以把杂志、拖鞋、睡衣等随时取用的东西装在里面,颜色柔和的布艺还能为初春的卧室带来温暖的感觉,实用和装饰两种要求都能满足。BT床下大有"用武之地"选择床下收纳箱的五大重点:

◆尺寸

购买收纳箱之前,一定要先量一下床下的空间尺寸,尤其是地面和床板间的高度,以免收纳箱太高,放不进去。

◆材质

市售的收纳箱材质种类很多,如藤制、塑料、无纺布等皆有。如果担心地板湿气太重易受潮,建议选择塑料制品会更理想。

◆收纳物

选择收纳箱前,先要想想打算收纳哪些物品,再选择适合的收纳箱。

◆拿取便利

床下收纳箱的尺寸通常会比一般收纳箱大,建议选择附把手的款式,或者底部有轮子的收纳箱,可以增加取用的便利性。

◆辨识度

床下摆了一整排的箱子,要找东西时,一时还想不起来到底在哪一个箱里。为了避免此困扰,建议选择透明色系的箱子。

沙发四周是最好的储物空间

现在很多家庭都是这样,沙发背后的墙和电视背景墙都仅仅用来挂装饰画,这样很浪费。其实无论吊柜、书柜,还是搁板、储物盒都能给客厅收纳助一臂之力。

客厅一般都以沙发为中心,沙发后面的墙壁便有了装饰的功能。

沙发背景墙则适合收纳艺术品、书等,这两种物品漂亮,有展示性,但一定要按类别摆放。

在沙发旁边的空白墙面上摆放报刊架,可以放置一些随时取阅的杂志、报纸等。

在沙发扶手处,挂上一个与沙发颜色相搭配的布艺小口袋,遥控器等小物件可以放在这里。

角柜营造的舒适空间

在沙发旁边可以摆放一个角柜,角柜上放置旋转台灯和茶具等,角柜里摆放旋转书籍杂志,还有零食,这样沙发和角柜就为你营造了一个简单舒适的阅读空间。

在客厅沙发与墙的夹角处安置一个直角式的箱柜,再摆上喜爱的装饰品,就可以收纳、装饰两不误了。

电视柜收杂物

客厅中必不可少地要放置音响、电视等,收纳功能强大的电视柜可以"埋伏"从家电到光碟等无数的杂物。

别放弃三角形空间

房间角落的三角形空间,或是贴墙放置的家具侧面和墙之间形成的三角形空闲地带,可以放置一排储物架或储物袋,放置一些报纸杂志和零碎物品。

隔板隔出的小天地

在墙角或衣柜和墙之间的空当处,用隔板做成隔断。上面可以摆放一些绿色植物,下面悬挂一个收纳袋,小件的衣物可以放置于此。

小物件摆放有讲究

摆放在床头柜里的小物件,最好按大小顺序排列摆放。把不常使用的物品放在下面。梳妆台上的瓶瓶罐罐等零碎物件,可以利用收纳盒、杯子等收纳道具,分类收起。

电线不再"纠缠不休"

家电后面的电线可多了去,还两两"纠缠"在一起,又沾灰又不易打扫。用完的卫生纸中间的圆柱形硬纸筒不要丢掉,把家里"纠缠不休"的电线挽起来,放在里面,打扫房屋不用擦电线,还不占地方。

猫猫腻狗狗的舒适小窝

如果沙发在屋子的正中,千万不要浪费它背后的空间。用一个长条案就可以给可爱的小宠物安个舒适的窝,旁边再放个藤筐用来放宠物用品。

CD 的开放式摆放

　　CD 柜或 CD 架在客厅中的地位越来越重要,珍爱的光碟可要好好保存。装修时可设计出专门存放 CD 的空间,或在沙发后墙放置竖款 cD 架。这样既可以大量地收纳 CD,也可以作为一种漂亮的展示,还方便拿取。

茶几下的温馨创意

　　客厅多出来的抱枕、靠垫常会找不到合适的存放地方。把一个造型别致的布艺袋绑在茶几下方的两个脚上,给抱枕、靠垫找张好看的"吊床",有创意又方便。

　　买一款圆柱形茶几灯,里面可以只放一盏灯,也可以把灯拿走,放若干杂物,盖上茶几的盖子,绝对现代的外表下就有了巨大的储藏功能。你也可以选购一款方方正正、内含玄机的大角几,放在沙发的转角处,甚至可以藏进比茶几

更多的杂物。

钥匙这样放不用找

　　在鞋柜侧面安装连续的挂钩,家里的钥匙就可以挂在这里了。
　　漂亮的小纸袋成串式地挂在墙上,把钥匙等小物品收纳其中的同时,也成了玄关的装饰。

长雨伞的最佳收纳场所

可以把毛巾架安装在鞋柜侧面,收纳长雨伞既整齐又实用。

有弯手柄的长雨伞,挂在桌面总是会滑掉,除非有钩子钩住。但现在用橡皮擦就免去钩子了。只要把橡皮擦放在桌子边缘,把伞柄放在橡皮擦上面,不

◎ 平整的美术橡皮擦是收纳
长雨伞的好伙伴。

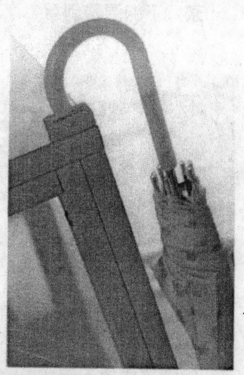

管你怎么摇,伞都会很稳当地挂在桌子上!

书房美观创意收纳百分百

书架虽然放满了书籍,但每一层隔断的上半部空间总觉得不该闲置。书桌的抽屉不够用,把东西放在其他的地方,取用又不方便。书房里的收纳问题不仅要考虑如何收纳同类的物品,还要考虑到取用的方便性和对空间的利用度。

耐看度 100% 的收纳方法,可以将上述问题逐一解决。

◆藏书分类更易找

在收纳书房时,首先对你的藏书来个大整理。晦涩艰深的研究类,轻松消闲的娱乐类,技术应用类,感人肺腑的小说类,将所有书籍分门别类整理好,使之井然有序,方便阅读。

◆文具收纳妙招

用牛奶盒做的小抽屉可收纳文具一类的小型物件,抽屉的数目可以随意加减,贴上漂亮的花纸或布料,效果相当不错。

◆用衣架悬挂彩虹文件夹

将一组彩色文件夹用小夹子固定在衣架上,贴上分类标签,挂在书柜的横杆上,也是一个利用空间的巧妙方法。

◆悬挂藤编筐装小物品

将两个挂钩朝上固定在书架内部的两端,将带把手的藤编筐固定在上面,把需要摆放的物品称心地放在里面,藤和书的组合还能带来不一样的视觉效果。

封面增加层板

儿童房由于空间狭小,床已经占去了 1,2,再要争取空间,就得从墙面开始,增加适量的层板,以及收纳柜,让墙面也可以帮助收纳。

往墙上增加储物空间

除了墙面外,还可以增加储物柜的高度,让空间往上发展,并预留空间,让之后增加的物件一样收得进来。

果篮装玩具

水果篮也能派上大用场,把毛绒玩具装在里面,如果还觉得占地,就干脆把它挂在墙上吧。

拼图装进笔袋

拼图或小积木很容易散落分离而找不到。要好好保存拼图的每一小块,用铅笔袋是个不错的方法。原来的拼图底板体积扁平还可以立起来收藏,相当节省空间。

移动的玩具储物架

把到处都是的玩具,用几个大的纸箱装着,放在移动的储物架上,塞到床底下,空间马上就腾出来了。纸箱的大小,可以根据床底的高度自己动手改装。

巧用纸箱或收纳箱

桌子下空出的空间不要浪费掉,摆放几个纸箱或者收纳箱,将各种玩具分类收在其中,好找又好拿。在纸箱四周贴上色彩鲜艳、有卡通图案的图纸,比较能够讨宝宝欢心,还能提高他动手收纳的兴趣!

毛绒娃娃放墙上

在门的后方,绑两根绳子,就可将大小适中的毛绒娃娃挂在上头了。既展示了娃娃,还不占空间,真的很理想。

5 件器物助你轻松收纳

各种材质的好看盒子、篮筐及布艺包,都能帮我们收纳凌乱的物品。

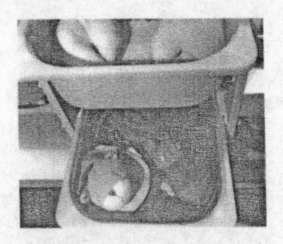

◆植物纤维饰面收纳盒

外部为植物纤维编制、内里衬有皮革的收纳盒,可以保证围巾面料的安全。镂空花朵图案的盒盖,使其在合上后,成为一件漂亮的小家饰。

◆精美纸盒

用精美纸盒收纳轻薄质地的拖鞋,有的盒子还能折叠起来,非常节省空间。

◆抽屉柜

如果拥有多条丝巾、围巾、披肩,可以选择抽屉柜来存放。在抽屉里套上纯棉布的内衬,能够分屉收纳各种质地的丝巾、围巾、披肩。

◆麻质储物篮筐

麻质的储物篮筐,可以收纳冬季穿的棉拖鞋。将刷洗干净的拖鞋装进篮筐后,可储放在衣帽间里,自然清新。

◆藤皮篮筐

藤皮编制的收纳篮筐，可以存放卷起来的围巾，防止出现折痕。选购时要用手指仔细抚摩藤盒的内壁，不能有任何毛刺，以免刮伤面料。

清新淳朴的休闲空间

阳台上可以摆放竹质、藤质的摆设，营造一种田园气息。比如，阳台的窗户

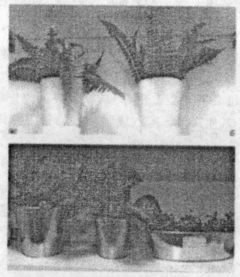

◎ 材质统一的花盆，为阳台创造别具一格的空间艺术。

可以挂上竹卷帘，墙面的搁板上摆放几个竹质储物篮，方便收纳各种零星物品。

生机盎然的花房

许多中老年人都喜欢在阳台上种植花草，有这种需求的家庭，不妨在阳台摆放一套带转角设计的组合储物架。可根据实际需求，拆卸或组合使用，也可随心所欲地放上花盆、储物盒。而此时，如果选用造型优美的花盆、浇花工具，也都成了一种装饰。

儿童用品储藏室

　　阳台也可以当作儿童用品的储藏室。比如,可叠放的小型储物箱最为节省空间,而超大的储物箱能够收纳孩子的书本、杂志等琐碎物品。带滑轮设计的储物单元,放置一些需要随时移动的文具纸张,而颜色各异的画笔收纳箱,则能分类收集孩子的绘画用品。

节能省钱

节水

洗餐具巧节水

◆不叠放碗盘

收拾碗盘时,把没有油污的和有油污的分开收。有油污的碗盘也不叠放,这样就可节省冲洗盘底油污的用水了。

◆先擦后洗

洗餐具前,最好先用废纸把餐具上的油污擦去,然后再用热水清洗。这样可以减少用水冲洗的次数。

◆先泡再冲洗

洗餐具时,先将餐具泡在水中洗干净,再放入冲洗池中用水冲洗。用笔心粗细的水流量冲餐具就可以了。

◆焯青菜水来刷碗

烫完青菜的水,可用来清洗油腻的碗筷,不仅能减少洗涤灵的用量,而且也能去除油污。

◆多个碗一起洗

洗碗时,我们先用洗涤剂一次性把碗依次洗净,然后再一起用水冲洗,这样可以减少冲洗的次数。

◆ 用淘米水洗餐具

用淘米水清洗餐具,污垢会很容易被洗掉。

洗菜节水 4 法

◆ 先择后洗

先去掉菜上的根和老叶,抖去菜上的浮土,再清洗,这样会减少清洗的次数。洗土豆、萝卜等,先削皮再清洗。

◆ 用盐水洗菜

用洗涤灵清洗瓜果蔬菜,需要冲洗好多次,才能放心吃。用盐水浸泡后,只冲洗一遍就够了。这样不仅节水,而且能有效清除蔬菜上残存的农药。

◆ 先泡再冲洗

洗蔬菜时先把菜泡在清水中洗干净,再放入冲洗池中用水冲洗。这样洗菜,与开着水龙头冲洗相比,会减少用水流量。

◆ 集中洗

洗菜最好集中洗,把容易清洗的蔬菜放在一起洗,把比较难洗的放在一起洗。也可以在冲洗菠菜之类带叶的蔬菜时,在下面放土豆之类的蔬菜,清洗菠菜的同时,土豆也被冲洗了一遍。

案板免水洗 3 招

◆使用厨房剪刀切肉

切肉片容易弄脏案板,而且要用很多水才能洗净。我们可以使用厨房剪刀来剪肉,这样不仅不用洗案板,肉片的大小也可以自由把握。

◆用包装盒代替案板

用食物的包装盒代替案板,把肉或鱼直接放在包装盒上切,这样就不用清洗案板了。

◆用牛奶盒作案板

牛奶盒的内侧吸油效果比较好,可将牛奶盒撕开,用来做切油炸食品的案板。

洗衣机省水洗衣法

◆集中洗涤最省水

衣物集中洗涤,可以减少洗衣次数。使用半自动洗衣机漂洗时,先把衣物上的洗衣粉泡沫拧干,或者甩干后,再漂洗,可以减少漂洗次数。

先浸后洗,提前搓洗。洗衣服前,先将衣物在洗衣粉水中浸泡 10 分钟,然后再洗。衣服的易脏部位,如袖口、领子先搓洗几次,再放入洗衣机。

◆分色洗衣

分色洗涤,按先浅后深的顺序,把不同颜色的衣服分开洗,这样浅色的衣服就不会被染上其他颜色。

◆分清薄厚

一般质地的化纤、丝绸织物，比质地较厚的棉、毛织品洗涤的时间要短，分开洗，不仅洗得干净，而且也洗得快。

◆小件衣物用手洗

小件衣服，如手套、袜子、内衣等，用手洗比用洗衣机洗省水。

◆放多少洗衣粉

有人认为，洗衣粉越多洗得越干净，但这样浪费水也浪费洗衣粉。其实，根据衣物的大小、数量及油污的程度，放适量的洗衣粉，衣服就会很干净了。

◆水位段设多高

洗衣机洗少量衣服时，水位定得太高，衣服在水里飘来飘去，洗不干净也浪费水。可根据需要选择不同的洗涤水位，没过衣服就可以了。

◆洗多长时间

根据衣物的种类和脏污程度确定洗衣时间。一般，合成纤维和毛丝织物洗涤 3~4 分钟，棉麻织物 6~8 分钟，极脏的衣物 10~12 分钟。

◆循环利用洗衣水

漂洗衣服的水，可以用来洗第二批衣服。

卫生间节水窍门

◆在水箱中放个矿泉水瓶

如果觉得厕所的水箱过大,可以在水箱里放个装满水的矿泉水瓶,减少冲水量。

◆使用水箱止水栓

为了节约用水,可以使用座便水箱止水栓,来调节用水量。

◆存下废水冲马桶

洗菜洗餐具的水、洗漱水、洗衣水、洗澡水,都可以用来冲马桶。如果把肥皂头浸入使用过的家庭用水中再倒进水箱,冲马桶时,不仅能省水,还可以起到清洁马桶的作用。

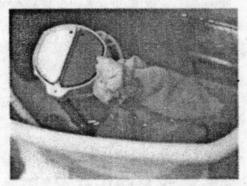

◎ 将水箱的浮球向下调整2厘米,每次冲水的时候都会减少用水量。

洗澡不再费水

◆怎样淋浴节水

淋浴配合低流量喷头，节水效果会很不错。几个人轮换洗澡时，间隔时间不要太长，以免管道中的热水变冷，需要重新放掉。洗澡时，避免长时间冲淋，搓洗时关掉水。

◆盆浴如何节水

盆浴配合水位调节器使用，可以设定低水位，也可以避免浴盆中的水溢出。浴缸洗澡时，水不要放满，1/3～1/4 盆就足够用了。

◆浴缸与淋浴配合使用

在人们的印象中，淋浴比浴缸更节水。如果使用新型用水量少的浴缸，同时与淋浴配合使用，可以做到一水多用，更好地达到节水的效果。

◆循环利用洗澡水

放洗澡水时，先流出的是冷水，将水放到盆中，可以用来洗衣服。洗澡水用捞网清理毛发和污垢后，可以用来洗拖布。泡澡后，可以直接用泡澡水刷洗浴缸。

一水多用巧节水

◆用家庭废水浇花

洗过盛豆浆、牛奶杯子的水，用来浇花，不仅省水，还能促进花木的生长。

此外,洗菜水、淘米水、养鱼的水、煮蛋的水,都是浇花的好水源。

◆巧用洗脸水

洗脸水用后可以洗脚,也可以洗小件衣服,然后还可以冲厕所。用洗手的水,就可以洗抹布。

◆洗碗水妙用

洗碗时,最后冲洗的水很干净,可以收集起来,用来刷锅、擦桌子,也可以用来洗抹布等。

◆淘米水洗桃

桃的外表有一层绒毛,不但难洗而且农药等很容易附着在上面。把桃放在淘米水中浸泡 5 分钟,再用流动水反复冲洗,既可以洗净残留的农药,又节省了用水。还可以在水中撒点盐,也有助于洗净桃毛,消菌杀毒。

◆淘米水洗脸洗头发

用淘米水洗脸,可以使皮肤白嫩光滑。淘米水也可以洗头发。长期用淘米水洗头,头发会越来越乌黑发亮。

◆淘米水洗衣

把不小心沾了水果汁、汗渍的毛巾,泡在淘米水中煮十几分钟,污渍就没有了。将脏衣服在淘米水中泡 10 分钟,再用肥皂洗,洗出的衣服格外干净。带有霉斑的衣服用这种方法,霉斑就可除掉。

◎利用洗衣的肥皂水擦地，不但省水，还能驱走蟑螂。

省电

举手投定轻松省电

每个家庭只要做到每天随手关灯、关电器，就相当于省了一盏 30 瓦的白炽灯的电能，一个月可省电 18 度。

节能灯比白炽灯省电 70% 左右，假如将家中的两盏 40 瓦白炽灯更换为 13 瓦的节能灯后，按每天点灯 4 小时计算，一个月可省电 7.2 度。

按夏季空调每天运行 10 小时计算，在不影响舒适度的前提下，将家中的空调温度调高 1 摄氏度后，每天可省电 0.5 度，一个月可省电 15 度。

家用照明

◆将白炽灯泡换成荧光灯

54 瓦的白炽灯泡，与 12 瓦的荧光灯相比，亮度相同，耗电量却是荧光灯的 4 倍，使用寿命也比荧光灯短。

◆反射与反光能提高亮度

充分利用反射与反光,比如,灯具配上合适的反射罩可以提高亮度,利用室内墙壁的反光也可以提高亮度。

◆用调光器减少浪费

如果把卧室的灯具用调光器来调节灯光,不仅方便,还能起到节电的效果。

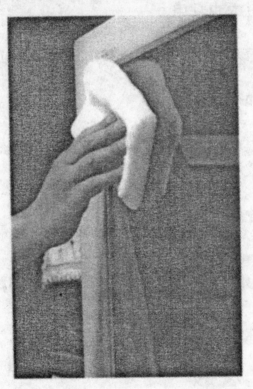

◆走廊灯换成感应灯

把走廊的灯换成感应灯,可以避免晚上起夜忘记关灯。

电视机

◆调节电视亮度前擦净屏幕

调节电视机亮度前,先把屏幕上的灰尘擦拭干净。电视亮度适中,不仅有助于保护眼睛,也可以节电。

◆电视音量过大也耗电

电视机的音量大,功耗就高,所以音量调到能听清楚就可以了。

◆给电视机加个防尘罩

灰尘多了不仅增加电耗,还会影响图像和伴音质量。给电视机套个防尘罩,可以减少灰尘对机子的损害。

◆电视机摆放要合适

电视机不要紧贴着墙摆放,至少要有 10 厘米的空隙,这样有利于电视机散热,减少电耗。此外,电视机待机、频繁开关都会耗电,还容易损坏电视机本身。

电冰箱

◆冰箱变成"蒙面大侠"

把冰箱保鲜室蒙上大小合适的保鲜膜,这样,取东西时掀开保鲜膜,能防止进入热空气,达到省电的目的。也可以用其他包装袋,做一个冰箱门帘。

◆在冰箱内放些冰块

如果冰箱里的食物过少,最好放些冰块,增加容量,以节约电能。也可以在冰箱内填一些泡沫塑料块。

◆拧下冷藏室的灯泡

光线较好的房间,冰箱内的照明灯可拧下不用,既节省了灯泡本身所消耗的电能,又防止了冰箱升温。

◆密封冰箱门封条

如果冰箱门的封条密封性不好,会使冰箱漏气,增加耗电量。用电吹风吹变形的门缝处,门封条变软后停止吹风,冰箱就不会漏气了。

◆冰箱周围保留空隙

冰箱周围至少留出 5 ~ 10 厘米的空隙,用来散热。如果散热不通畅,就会增加耗电量。散热器上的积尘也需要及时清除。

◆冰箱内保持适度空间

冰箱要保持适度空间,让空气流通顺畅。储存食物过多过密,不利于冷空气循环,会增加耗电量,也会影响食物的保鲜效果。

◆及时除掉冰箱里的积霜

要及时除掉冰箱里的积霜。把装有 80℃热水的盒子放入冰箱,隔一段时间更换盒内的热水,冰箱内的霜会脱落。

◆避免冰箱开太久

冰箱门开关过于频繁,箱内温度会上升,也容易结霜,增加耗电量。取东西前先盘算好,避免冰箱开太久。

◆巧用调温器旋钮

利用夏季昼夜室内温度变化较大的特点,睡前调到"2",白天调到"4"。这样既能节电,也保证了散热片散热。另外,将冰箱冷冻室温度设在.18℃,代替常用的—22℃,既能达到同样的冷冻效果,也可以节省耗电量。

◆冰箱门边需清洁

冰箱的门边也需要经常清洁,这样冷气不容易流失。

◆食物冷却后放进冰箱

把食物凉凉后再放入冰箱。食物的热气会冷凝成霜沉积,增加耗电量。

◆冷冻室的东西用透明包装

放入冰箱的食物,用透明包装,一目了然,可以节省翻找时间,缩短开冰箱的时间。

◆不往冰箱上面放物品

如果冰箱周围没有散热的空隙,会影响冰箱散热,增加耗电量。所以,冰箱上面不宜用来存放物品。

◎ 有效利用调温器也可以省电。

空调

◆时开时关用空调

使用空调时,可以在刚开机的时候,设置成高冷或高热,尽快达到调温效果。温度适宜时,可改成中、低风,减少能耗的同时,也降低了噪声。

◆夏季空调温度设在 26℃ — 28℃

夏季空调温度可设定在 26℃ ~ 28℃,冬季设定在 16℃ ~ 18℃。夏季空调配合电风扇低速运转,能加速室内冷空气循环。

◆天气闷热时使用除湿功能

天气闷热时,把空调模式调在除湿状态,室内湿度降下来,即使温度高一些,也很舒适。人睡时,使用空调的睡眠功能,可以节电。

◆及时调节出风口角度

选择适宜的出风口角度,制冷效果会好很多。空气在制冷时,应把出风口调到向上的位置,制热时调到向下的位置。

◆往窗帘上喷洒清水能降温

夏季早晨开窗通风,中午关好窗户,并拉上窗帘,往窗帘上喷洒一些清水,这样空调开的时间可以短一些。也可以在窗台、阳台种点花草,来降低室内温度。

◆外出前 30 分钟关闭空调

关闭空调 30 分钟,室温不会有太大的变化。所以,出门前 30 分钟就可以

关掉空调了。

◆定期清理空调过滤网

空调使用期间,灰尘会堵塞过滤网,增加耗电量。因此,每月清洗一次过滤网。不用空调时,把空调用套盖起来。

◆空调安装多高会省电

空调装得越高,制冷时需要工作的时间就越长。一般安装在距地面1.6米~1.8米为宜。安装空调时,尽量选择房间的背阴面,避免阳光直接照射在空调器上。

◆不要给空调加装稳压器

加装稳压器以后,空调即使没有开启,也会通过稳压器与线路接通,处在"休眠"状态,这样也在耗电。

电饭锅

◆先泡米再煮饭

做饭前先把米在水中浸泡一会儿,这样做出的米饭既好吃,又省电。

◆电饭锅上盖毛巾

如果在电饭锅的锅盖上捂一条毛巾,注意不要堵住出气孔,可以减少热量损失,比不捂毛巾熟得快。

◆保持锅内锅外清洁

电饭锅的锅底和电热盘表面有污渍,都会影响传热效率,所以把污渍擦掉

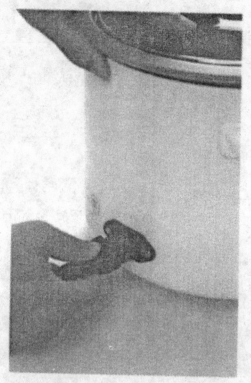

◎ 粥快熟时关闭电源，然后再焖10分钟。这样不仅省电，还能避免米汤溢出而弄脏锅。

后再做饭，会减少耗电量。

◆不把抽油烟机当换气扇

不把家用抽油烟机当换风设备来使用，有油烟产生时再开启抽油烟机。做饭时也应尽量使用抽油烟机上的小功率照明，关掉其他电源。

◆抽油烟机不需要勤洗

频繁拆洗抽油烟机会导致零件变形，从而增加耗电量。清洗抽油烟机时，可在风叶上喷洒清洁剂，让风叶旋转甩干，以免风叶变形增加阻力。

◆把灶具放在避风处

灶具要放在避风处,或加挡风圈,可以防止火苗偏出锅底。合理使用灶具的架子,其高度要使火焰接触锅底。

电磁炉

◆先用大功率挡加热

用电磁炉时,先用大功率挡进行加热。开锅后,把功率挡调至小挡,以能使锅内保持开锅为宜。

◆及时调节挡位

煮稀饭、做汤时,用中挡或低挡。吃火锅时,根据火候随时改变挡位。这样不仅省电,也能避免弄脏锅底。

◆避免电磁炉空烧

使用电磁炉时,要避免空烧锅具,这样既浪费电,也容易发生危险。使用电磁炉时,还要注意放在通风良好的地方,以利于炉具散热。

微波炉

◆在食品上加层保护膜

在食品上加层保护膜,水分就不容易蒸发,加热时间会缩短。

◆加热不用金属涂层器皿

用微波炉加热时,不要用有金属涂层或花纹的器皿、铝膜盛放或包裹食品。

◆加热较干的食物时适当加点水

加热较干的食物时,可在食物表面均匀地涂一层水,这样可提高微波炉的加热速度,减少电能消耗。

◆将冷冻的食物提前放到冷藏室

解冻肉类时,提前从冷冻室放到冷藏室,可以减少使用微波炉解冻的时间。

◆用微波炉解冻,解冻一半为宜

解冻时,先在微波炉里解冻一半,然后放入冷藏室解冻,不仅可以节电,还可以防止变味。

◆适当把好"火候"

同样长的时间内,使用中挡所耗的电能只有强挡的一半。炖肉、熬粥、煮汤时最适宜使用中挡。需要保持嫩脆、色泽的肉片或蔬菜等,可选用强挡烹调。

电风扇

◆把风扇放在相对阴凉处

电风扇放在室内相对阴凉处,将凉风吹向温度高的地方。白天摆在屋角,让室内空气流向室外。晚上放在窗口内侧,让室外的冷空气吹^室内。或将电风

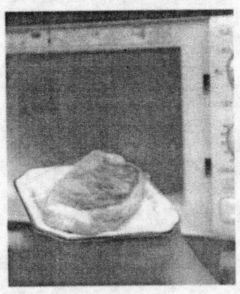

扇朝顺风的方向吹,都可以减少耗电量。

◆让电风扇对着窗户吹

在通风良好的房间里,电风扇对着窗户吹,有助于房间内形成自然风,比对着自己吹更凉快。

◆电风扇前放一块冰块

在小碗里放一块冰块,放在电风扇前面,能产生很好的制冷效果。

◆常往油眼中滴入机油

经常往油眼中滴几滴机油,能够润滑风扇页片,这样不仅能延缓风扇老化,也能节电。如果风扇缺油,风叶变形,就会耗电。

电熨斗

◆先熨烫耐温较低的衣服

熨衣服时,先熨烫耐温较低的化纤衣物。待温度升高后,再熨烫耐温较高的棉麻织物。断电后,利用余热还可再熨烫一些化纤衣物。

◆同质地的衣服一起烫

熨衣服的时候,可以将同质地的衣服重叠在一起烫,这样可以减少烫衣服的时间,节省耗电量。

◆一次熨平衣服的皱痕

熨衣服时,力争将皱痕一次熨平,多次反复熨烫,又慢又耗电。

◆晒衣服时将衣服拉平

晒衣服时将衣服拉平,晒干后的衣服不会有褶皱,即使要熨衣服,时间也会很快。

吸尘器

◆强挡弱挡要选择

吸尘器使用强挡清洁比使用弱挡耗电,所以要依照地面的情况、灰尘的多少来调整强弱。比如,木质地板使用弱挡就可以了。

◆经常清扫洗尘器的过滤网

使用一段时间后,要及时清除过滤袋中的灰尘,这样可以减少气流阻力,减少耗电量。

◆使用吸尘器前先收拾好地面

地面没收拾好,就使用吸尘器,会浪费电力。所以,要先把地面收拾好再用吸尘器。吸尘器的垃圾袋也要经常更换。

◆用笤帚清扫走廊

能用笤帚清扫的地方尽量避免用吸尘器清理。比如,走廊可以用笤帚清扫。木质地板不太脏时,也可以用笤帚清扫。

◆地毯上的灰尘用胶带粘

掉落在地毯上的头发、灰尘,不用吸尘器也可以清理掉。用宽胶带轻轻一粘,毛发、灰尘就会被吸附在胶带上面。

◆用自制的滚轮代替吸尘器

将橡皮筋缠到保鲜膜纸筒上,在地毯上滚动,就可以把地毯清理干净了。

◆用废牙刷清除地毯的污垢

如果把地毯弄脏了,用废牙刷刷就可以清除脏物。这样就不需要用吸尘器了。

◎ 头发、灰尘之类的脏物，很容易粘在地毯上，这些脏物可以用拧干的湿抹布清除。

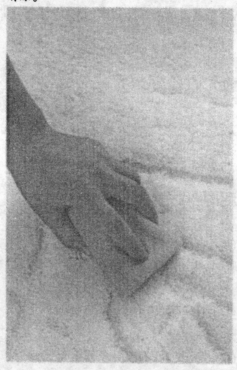

手机

◆在光线明亮的地方使用手机

尽量在明亮或有光线的地方使用手机。不用手机的时候最好不要激活背景灯,背景灯的用电量和手机通话用电量几乎差不多。

◆不要在 SIM 卡中保存太多信息

保存或删除电话号码的过程,耗电量与正常通信所要的电量相当。为了避免手机频繁读取或查找 SIM 卡中的信息,尽量不要在 SIM 卡中保存太多的信息。

◆冷天带手机最好用振动功能

冬季衣服穿得厚实,在户外携带手机,即使电话打进来,也不容易听见。这样会白白浪费电能。因此冷天带手机最好用振动功能。

◆手机中的每一项功能都耗电

手机中的每一项功能,都是需要消耗电量的。比如手机拍照功能、游戏功能、上网功能等,尽量少用这些功能。

◆恶劣天气少用手机

下大雨、打响雷这样的恶劣天气,手机的传输质量会受到影响,手机只好加大功率保证信号传送。加大功率会加大手机耗电量,这样手机的待机时间也就缩短了。

◆长途旅行时少用手机

当乘汽车或火车从一个地方到另外一个地方,使用手机时,手机会不断搜索、连接通讯网络,消耗很多电量。所以在长途旅行时,少用手机。

◆手机充电一夜会浪费电

很多人习惯晚上睡觉之前充电,早上起床后断电。手机充电一夜,会很浪费电。而且也会减少手机电池的使用寿命。

◆睡觉前关掉手机

睡觉前把手机关掉,用呼叫转移接到家中的电话上,时间长了,会减少手机

◎ 在使用锂电池时应注意的是，电池放置一段时间后则进入休眠状态，此时容量低于正常值，使用时间也随之缩短。但锂电池很容易激活，只要经过3~5次正常的充放，电循环就可激活电池，恢复正常容量。

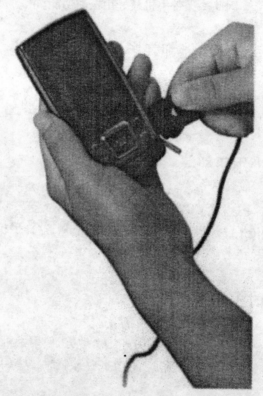

充电的次数，也减少了电能的消耗。

计算机

◆短暂休息期间，使用"睡眠"模式

短暂休息期间，尽量使用电脑的"睡眠"模式，而不是频繁地关闭和启动计算机。

◆长时间不用及时关机

长时间不用电脑时,应将电脑的主机和显示器关闭。

◆关闭计算机连接设备

用完打印机要及时关闭。计算机外部连接设备使用完毕,都应该关闭。这样可以节约待机时的耗电,也能提高外部设备的使用寿命。

◆长时间不用光盘,最好取出

光驱是笔记本中的耗电大户,全速工作下的光驱比硬盘更费电。较长时间不用光盘,最好取出光盘。

◆里里外外清洁电脑

计算机系统应定期整理,关闭不常用的软件,清理磁盘碎片等等。显示器屏幕上的灰尘,机箱内灰尘过多,都会增加计算机的电耗。所以,计算机要经常

清洁。

◆笔记本电脑也需散热

尽量在通风良好的地方使用笔记本,尽量避免杂物堵住笔记本的散热孔。尽量少把笔记本放在腿上、床上使用,以免因散热不畅而耗电过快。

◆及时调节笔记本亮度

做文字处理时,调暗背景。播放音乐、评书、小说等,可以把亮度调到最暗。不仅可以节电,也可以保护视力。

◆尽量少安装对系统要求高的软件

增加内存,可以将 Windows 对虚拟内存的依赖降到最低。如果不需要就不要安装功能齐全但对系统要求高的软件,如 OfficeXP。

数码家电

◆数码相机如何省电

尽量避免使用不必要的变焦操作。调整画面构图时,最好使用取景器,不用液晶屏幕。避免频繁使用闪光灯。尽量少用连拍功能。

◆数码摄像机怎么省电

外出拍摄时,尽量避免在风沙大的天气或地点使用,如果必须使用,时间不要太长。拍摄完毕后,把摄像机放在摄像包里,不要拿在手上或挎在肩上。

◆怎样用 MP3 节能

使用充电电池的 MP3 播放器,每个月至少一次将电量全部耗尽并充满,这样可以延长电池的使用寿命。善用播放列表功能,尽可能少用 EQ 模式。使用时锁住 hold 键。背光时间定在 10 秒左右,光线良好时,可以直接设置成 ofr。

音响

◆放置远离热源

温度太高、温度太低都容易使器件老化。放置音响时,要远离暖气、取暖器等热源。音响尽量不要放置在阳光直射的地方,也不要在音响上放置重物。

◆需要预热保养

使用音响时,先用中等音量轻柔的音乐预热几分钟,然后再将音量调大。这样可以减少元件受损,减少耗电量。

◆注意开关机顺序

有些音响十分注重开机和关机的顺序,如果不注意会损坏音响。一般隋况,开机时先开 CD 机等主音源,再开音响单元。关机时先关闭音响单元,再关闭主音源。如果迷你音响连接有简单的放大器,要先关闭放大器。

热水器

◆每天使用,不需切断电源

节能电热水器,有有效的保温技术,比如中温保温,但需要电源通电。如果每天使用热水器,不需要每天切断电源。如果 3 ~ 5 天才使用一次,用后断电更节能。此外,频繁地拔掉插头,还会减少插头的寿命。

◆根据需求加热温度

夏季气温高,热水温度不用烧太高,一般50℃上下,三口之家就够用了。冬

◎音响在使用中也要避免突然将音量放到最大,这样喇叭线圈会烧,对功放造成影响。振幅突然加大也会烧毁功放。

季冷水温度低,对热水的需求也大。可以在用电低谷期将水温加热至75℃。

◆及时清理热水器上的水垢

使用一段时间后,热水器盛水的大桶内就容易产生水垢,严重影响加热效率,耗费电能。最好每年清理一次。同时,也要定期清除热水器上的灰尘。

◆根据需要选容量

应根据家庭人数及用水习惯,选择合适容量的热水器,不要一味追求大容量,容量越大越耗电。

节气

选品牌炉具节燃气

想节省燃气,就要有好的炉具。尽管各种各样的炉具让你眼花缭乱,也别图便宜在地摊上或日杂商店买杂牌货,还是要到大商店或专卖店选购名牌产品。便宜的炉具大都存在质量问题,使用起来往往存在燃烧不良,既浪费燃气又存在事故隐患。

保养灶具节省煤气

经常疏通燃烧器具,防止阀门和管道漏气。检查漏气的重点是:输气管接头是否松动,输气胶管是否有脱落、松动、龟裂等情况。如发现有跑漏气问题,应尽快设法解决。液化石油气钢瓶长时间使用后,减压阀与角阀接口之间的胶皮垫圈、手轮旋钮上的垫圈容易磨损造成漏气,用肥皂水在上述部位涂抹,产生大量泡沫的部位往往漏气,应及时更换垫圈。

讲究锅具摆放更省气

通常使用时,要保证液化气的火苗不超过锅底部位,否则不仅浪费液化气,还达不到加热的效果。要使焰孔与锅底保持约2.5厘米的距离,这时加热效果是最好的。

观、嗅味减少煤气浪费

打开燃气开关点火后,火焰呈红黄色说明缺氧,说明燃烧不充分。应适当调整灶具风门,待火焰呈紫蓝色时再炒菜。紫蓝色火焰表示燃烧充分,热也达到最强,用起来省气也省时。

如果能保证厨房有良好的通风条件,满足灶具耗氧的需要,那就既避免了一氧化碳对人体的危害,又保证了灶具的额定负荷,做饭时间不致延长,相对地减少了煤气的耗费。

烧开水巧节气

◆烧水先不把水壶加满

烧开水时,先不要把水壶加满,加水至水壶容量的 1/3,水烧至冒泡时,再将水加满。这样壶中的水更容易沸腾。

用水壶烧水时,水也不宜灌得太满,以免水开后溢出。水壶用过一段时间后,要及时清理水垢,可提高加热效率。

◆把水烧到需要的温度

如果烧水不是为了饮用,可以将冷水烧到需要的温度,而不必将水烧开再对冷水使用。

怎样做饭会节能

◆尽量减少空烧时间

炒菜前先把菜洗好、切好,做好准备工作,可以避免烧"空灶"。炒菜时别忘

◎ 用大火烧水容易造成浪费，烧水用中
火，不仅速度快，而且火焰不会从壶底
溢出。

了盖锅盖，盖锅盖饭菜熟得更快。

◆连续使用一个炉子

先把准备工作做好，把菜洗好、切好。一个菜做完了，趁着炉子还有温度，做下一个菜，可以充分利用炉子的余热。

◆及时调整火焰大小

该用大火时用大火，比如炒菜等；该用小火时用小火，比如熬汤、烙饼等。小锅用小炉具，大锅用大炉具，炒菜时火焰正好布满锅底，也可以节省燃气。

◆选择适当的锅

根据饭菜的量，决定锅的大小。用大锅煮很少东西，用小得连锅支架也放不上的小锅，都会浪费燃气。

◆尽量多用高压锅

需要慢火久炖时,比如炖肉、熬粥、煮豆、煲汤,可选用高压锅。也可以利用高压锅做主副食。使用高压锅不仅可以节省燃气,还能减少食物中一些营养成分的损失。

◆蒸锅水不要放得太多

蒸东西时,蒸锅水不要放得太多,一般以蒸好后锅内剩半碗水为宜。做饭最好不用蒸的方法,蒸饭比焖饭费气。

◆把米和鸡蛋一起煮

将洗好的鸡蛋放在要煮的米饭上,饭煮好了鸡蛋也熟了。

◆利用余热来做饭

使用高压锅煮东西时,达到高压时就可以把火关小,煮得差不多熟时可以提前关火,这样充分利用余热煮熟食物。

◆及时清洁锅底

用久了的锅,锅底会积一层黑色的黑垢,尤其是铁锅。这些脏物有隔热作用,因此要把黑垢刮掉,才能达到节能的目的。

◆及时清理炉盘的缝隙

如果炉盘的缝隙堵塞了,火焰就会倾斜,浪费燃气。用牙签清理炉盘的污垢,可以防止堵塞。

◎擦干锅底的水再放在火上,这样可以节约燃气,延长灶具的寿命,还可以减少有害气体的产生。

省油

适当暖车可省油

冷车启动时,润滑与供油都很不充分,各个运动部件的配合间隙还没有达到最佳的状态,汽车温度也没有达到正常,如果此时车速过高,发动机就会承受很大的负荷,这也会影响发动机寿命。车主正确的操作就是先暖车。打火后,启动预热几分钟就可以了,在南方由于天气较热,暖车的时间可以相应减少。

定期更换三滤有助省油

三滤包括机滤、汽滤、空滤,它们的职责是过滤油液、空气,防止其中的杂质进入发动机造成磨损,并提高发动机的作业效率。但三滤老化、变脏后会堵塞油路,阻碍正常进气,导致燃油燃烧不充分,发动机动力降低,油耗增加。因此定期更换三滤是十分必要的。

留意换挡时机可省油

适时换挡与汽车油耗有着密切的关系,一般的汽车在 2000 转/分左右时,换挡比较理想,不过,由于各种车型的发动机转速有着很大区别,车主不易掌握,所以可以根据车速来把握换挡时机。一般起步为 1 挡,车速在 10 千米/小时以内换 2 挡;车速在 20 ~ 30 千米/小时换 3 挡;车速在 30 ~ 50 千米/小时换 4 挡;车速在 50 ~ 70 千米,小时以及 70 千米/小时以上,为 5 挡。

正确换挡巧省油

为节省燃油,行驶时勿使发动机以不必要的高转速运转,应尽可能挂入高挡行驶,仅当发动机运转不平稳时挂人低挡。

配备自动变速箱的轿车加速时应慢踏油门踏板,勿将踏板踩至换低挡位置,变速箱选择经济换挡程序,提前挂入高挡,滞后换入低挡,从而降低燃油消耗。

调整胎压更省油

天气热的时候为防止爆胎,应当降低胎压,而冬季则可以适当提高胎压,这样,由于轮胎与路面接触面积较小,摩擦力降低,开车还能更省油。当然,增加胎压适用于冬季比较晴朗的天气,如果遇到冰雪天气,胎压高、摩擦力小反而会给行车造成不便和危险。

保证轮胎正常气压省油

应经常检查轮胎气压,若胎压比规定值低 0.5 帕,油耗将增加 5%。此外,轮胎气压偏低还将增加车轮滚动阻力,加剧轮胎磨损。检查气压时轮胎应处于

◎ 轮胎气压不足会增加耗油量,经常检查轮胎,让轮胎保持在最佳状态。同时也要检查驾驶盘和轮胎是否调准等。

冷态。此外,请勿全年都使用冬季轮胎,否则油耗将增加10%,应按实际需要使用冬季轮胎。

保持中速行驶省油

若以最高车速3,4行驶,与最高车速相比,油耗可降低50%。每种车型都有其最佳的经济速度,即安全速度。大型车一般是每小时35～45千米,小型车则是每小时60千米左右,此时发动机工作最轻松、经济,燃烧最充分,污染最小。

清积碳可省油

常在塞车路段行驶,引擎低速运转,燃烧效率较差,引擎室和喷油嘴就会有较多的积碳,这样引擎效率低,一定耗油。你可以查看火花塞是否有积碳,或者从排气管残余物的情况来判别。一般来说,每1万或1.5万公里就应该送车子回厂清积碳,不过如果常跑高速公路,那么清积碳就不必这么勤。

加油窍门

加油不要超过油箱的上限。因为加满油时容易挥发至大气中造成空气污

◎ 出门前，最好计划好行驶路线并了解相应路况。多留意交通
广播，尽量避开堵车高峰期。路面起伏颠簸时，踩油门的脚最
好松开，可以避免浪费油。

染，不但造成浪费，还对空气造成危害，同时还可能会损坏发动机或催化转换
器。

省钱

先计划再花钱

花钱之前不妨先计划一下，需要什么，把需要的东西一一列出来。掏钱包
的时候，看一眼列出的单子，想一想这个钱要不要掏出去？花钱先计划，可以把
钱花到刀刃上，也可以克制冲动消费，避免浪费。

此外，还需要根据收入的多少，决定花钱的限度。花出去的钱，永远都不要

超过收入的80%。

掏钱之前想一秒

常常是刚买的东西,就觉得没有用处。刚付了钱,便意识到东西买得不值。怎样才能不花冤枉钱呢?1000元的皮靴打折300元,掏钱包时,想一秒,有搭配的衣服吗,什么时候能穿?。700元的漆光粉色鞋,好多人都穿这款紧随时尚潮流的皮鞋,掏钱包时,想一秒,这样的鞋能穿几天,700元值不值?

在刷卡消费前,更要分清"想要"和"需要",消费的第一守则应该先满足"需要",有余力再应付"想要"。

花大钱先货比三家

购置大件商品、买房、装修等等,要花掉很多钱时,先去货比三家。比如,电冰箱、洗衣机、空调这些商品,同样的品牌,同样的款式,在不同的商场会有不同的价格,多走走,就会找到物美也价廉的商品。

◎ 月份牌就是最简便的记账卡之一,还能提醒自己不要乱花钱!

想一想,钱都花哪儿去了

很多人会有这种感觉:好像什么都没干,钱却不见了……拿出纸笔,想一想,挣回来的钱,都跑到哪儿去了? 然后一一列出来。列完后,将花费最多的前 5 项标示出来,并回答几个问题:

这些钱花得值吗?

能很快找出花这些钱的理由吗?

这几个大头,是最应该花的吗?

花了这么多钱,后悔吗?

这样就会对自己的花钱情况有所了解,也对以后类似的花钱隋况有所警示。

做出每月开支计划

每个月的月初,从收入中把伙食费、水费、燃气费、电话费、孩子的学杂费,老人的赡养费和买房子要还的贷款等每月固定的家庭支出预留出来,再拿出必须的应酬费和零用钱。

合理分配全年收入

合理分配全年收入是一个详实的财务计划。对一年的花费有个计划和预算,也给自己制定一个目标。比如,1 年内存 5 万元,2 年内买车,5 年内买房等。

会砍价,花少钱买好货

看到中意的服饰不要喜形于色,可先漫不经心地摸摸质地,或提出试穿或试戴的要求,问问有没有别的颜色,让老板觉得你不是特别喜欢,再开始问价。

讨价还价后,店主给出的价格,比估算的价格高很多时,你可以转身就走。这时,店主会给出一个低价,或说出估算的最低价,最后成交的价格不会离谱。

运用疲劳战术计价还价

在挑选商品时,让卖主不断为你挑选、比试,最后提出你的价格。这时,卖主往往会妥协。如果,这时价格还是偏高,你可以说:"这价已经不少了,前面几家都是这个价"。别露出你的需要,卖家发现你的真实需要时,会"乘虚而入",趁机把价格提高好几倍,不论你如何舌战,最后还是多花了钱。

避免闲置消费

购买处理商品,表面上省钱,其实是蚀了本。处理品多为过时货、积压品,如果买了用不上反而造成浪费。当然打折时能买到性价比高的商品就划算了,利用率高的东西才是值得买的。

不搞攀比消费

绝不打肿脸充胖子,追求超前消费。自己的消费水平自己最清楚,每时每刻都要牢记量入为出。比如,工薪家庭的装修装饰应以整洁、明亮、经济、实惠为原则,花钱不多,不用借款欠债,轻松自在。

减少使用一次性产品

现在的商场、超市一般都提供一次性塑料袋。很多家庭将所购物品带回家后就随手将购物袋扔进垃圾堆里。其实我们购物时最好能自带购物袋、购物篮,方便卫生又环保。同时已经带回家的购物袋应仔细收起来,以备下次使用,弄脏了的购物袋可用作垃圾袋。同时也应注意在外吃饭时,尽量不使用一次性用品,尤其是一次性筷子。

超市购物省钱8招

选择合适的超市:选择离家近、品种齐全、价格便宜、对常客有优惠的超市

◎ 淘便宜衣物未必省钱，利用率高的衣服
才是值得买的。

定点购物，不仅能享受优惠，节约钱财，还能参加各种抽奖，获得一份意外的惊喜。

定期去超市批量购物：定期去超市批量购物，可获得折扣优惠等服务，同时也节省了多次往返的车费及时间。逛超市次数少了，流出去的钞票也就少了。

价廉的商品在哪里：商家喜欢把价廉的商品，摆在超市人口。经常把价廉的商品，摆在货架的底层部分，比较贵的商品，他们喜欢摆放在与人们眼睛平行的位置。

使用优惠卡：首次购买一定金额的商品后，即可获得超市优惠卡。可选择一家超市集中购物，以获取优惠卡，以后每次购物都可获得优惠，日积月累，会额十分可观。

电子产品去专卖店买：在超市购买生活常用品便宜方便，但有些商品很贵，数码相机、数码摄像机、手机等电子产品，最好到电子产品专卖店购买。

列出所购商品清单：超市购物前，制定好购物计划，把需要买的商品一一列出来，根据清单购买。

最好使用购物筐：在超市里购物，购物车既轻松又方便，一见到喜欢的东西就放到车里，就这样浪费了很多钱。用购物筐就不会这样了。

"团购"更优惠：可以找需要购物的亲朋好友一起购买。比如，1000元的鞋返1000元的券，可以选好各自喜欢的鞋后购买。

春节年货采购计划

关注促销活动：过年前要置备年货，如果你想购买当地的特色产品，如北京烤鸭、果脯、二锅头酒等，关注商家的特色专场促销活动，优惠多多。

水果可以自己动手包装。单买一个竹篮，放上精挑细选的水果，再买张包装纸包上，这样的果篮物美价廉。

认准糕点老字号：提着老字号年味十足的特色礼盒，走亲访友，比提着百元以上的西点蛋糕，无论是从年味气氛，保存期限，还是价格上，老字号都占优势。

对联临近年关买：春节前10天，是市场上年货最贵的时候，因此办年货最好到农历新年前两天再买，因为这时候一些商家为回家过年，就会急着脱手，价格也就便宜了。

信用卡省钱好管理

使用免年费的信用卡：弄清楚信用卡免年费的次数和金额，免得每年刷不到次数要付年费。另外，现在好多信用卡都免年费，申办时可咨询。

使用自动还款功能：使用信用卡自动还款功能，可以避免因忘记还款多付利息。在申请信用卡时，办理此项业务，可由银行自动从储蓄卡中扣款。如中国银行、招商银行等有此项业务。

保存刷卡收据：刷完信用卡后，将收据整理好，这样不但可以随时对账，而且可以提醒自己，哪些是应该买的，哪些是浪费掉的。

减少持卡的张数：减少没必要的持卡张数，可以减少乱花钱的概率。同时，将花费集中在数张信用卡上，容易算出自己花了多少钱。

比价软件淘实惠

网购也要货比三家，应用比价软件，在搜索栏里打入商品名称，就可以知道它在各大网站上的价格。此法更适用于图书等商品。一般通过网络订购商品，会比电话订购或在实体店铺中购买获得更多的价格优惠。另外,有些网购折扣网还设有积分和Ⅷ会员制度,达到一定积分可兑换礼品或拿到更低的折扣。

积攒电子消费券

有些网站经常会赠送电子消费券,面额在 20～50 元不等,巧妙运用这些电子消费券也可省下不少钱。

用年卡避免浪费

很多美容院健身房推出的消费卡,如月卡、季度卡、年卡等。这些卡的优惠幅度很大,但如果没有时间来不及使用的话,也就白白地浪费掉了。